РОКОВЫЕ
ЖЕНЩИНЫ

ГРЮНЕВАЛЬД

Соперницы

Знаменитые «любовные треугольники»

ЯУЗА ЭКСМО

Москва
2013

УДК 82(1-87)
ББК 84(4Гем)
Г 92

Ulrike Grunewald RIVALINNEN
EGMONT Verlagsgesellschaften mbH

Грюневальд У.

Г 92   Соперницы. Знаменитые «любовные треугольники» / Ульрика Грюневальд ; [пер. с нем.]. — М. : Эксмо : Яуза, 2013. — 224 с.

ISBN 978-5-699-67450-3

Принцесса Диана против «разлучницы» Камиллы Паркер.
Жаклин Кеннеди против великой певицы Марии Каллас.
Ева Браун против Магды Геббельс.
Самые громкие истории соперничества знаменитых женщин.
Самые скандальные «любовные треугольники», в которых им приходилось сражаться за влияние, власть, деньги — то есть за мужчин.
Прочитав эту книгу, вы убедитесь, что никакие мужские конфликты, никакие политические интриги и финансовые войны не сравнятся по накалу страстей с соперничеством женщин, а бескровные женские «дуэли» зачастую превосходят самые жестокие поединки мужчин!

УДК 82(1-87)
ББК 84(4Гем)

ISBN 978-5-699-67450-3

«Женщина проиграла, если у нее
есть страх перед соперницей»
Мари-Жанна Дюбарри

ПРЕДИСЛОВИЕ

Мадам Дюбарри, знаменитая фаворитка короля Людовика XV, была права. Женщина проиграла, если у нее есть страх перед соперницей.

Но достаточно ли одного только бесстрашия? Что еще нужно женщине, чтобы торжествовать победу над соперницей? И как воюют женщины? За что? И почему?

Так просто на этот вопрос не ответишь, так как к соперничеству в нашем представлении более склонны мужчины. Встретились друг с другом два соперника, речь идет о господстве — и слышишь прямо-таки звон сабельных клинков, а внутреннему взору представляется мелькание кулаков и оружия.

Две соперничающие между собой женщины не могут так обходиться друг с другом, это сочли бы неженственным. И все же они конкурируют — но гораздо тоньше.

В этой книге идет рассказ о четырех любовных треугольниках из современной истории, где женщины сражаются за влияние, деньги, власть и мужчин. С напряжением следишь, как они это делают. И чего добиваются своими различными стратегиями. Выбор оружия решает, что тебя постигнет: удача или неудача, счастье или несчастье, а в некоторых случаях речь идет о жизни или смерти.

ДЖЕКИ КЕННЕДИ
И МАРИЯ КАЛЛАС

Резкий ветер свирепствовал на улицах Далласа. Утром 22 ноября 1963 года техасская метрополия являла собой отталкивающее зрелище. «Была отвратительная, дождливая погода», — вспоминает Нелли Конелли, жена бывшего губернатора штата Техас.

Молодую супругу политика уже много дней не покидало напряжение. Она довела до блеска старую резиденцию мужа, с особой тщательностью вычистили ковры — к приезду президентской четы все должно быть безупречно. Предполагалось, что этот визит станет гвоздем программы светской жизни Далласа.

Джон Кеннеди находился здесь проездом, с агитационной предвыборной целью, и, судя по последним опросам, положение его выглядело не особенно хорошо.

«Кеннеди обладал редкой харизмой и неотразимой улыбкой», — рассказывает Н. Конелли. Увидев президента и его прекрасную жену Джеки, техасцы бы поняли, какая это необыкновенная пара.

Дождь не прекращался, и все шло к тому, что президентская чета вынуждена будет проехать по улицам Далласа в закрытом лимузине. «Как жаль, —

думала супруга губернатора. — Как же люди, нерешительно собирающиеся на улицах, смогут ощутить флюиды их обаяния?» Этот парад должен был вылиться в триумфальное шествие, продемонстрировать симпатии к молодому президенту, помочь ему в предвыборной борьбе.

Еще по пути в аэропорт Н. Конелли волновалась из-за плохой погоды. Однако как раз в ту минуту, когда президентский самолет приземлился, дождь внезапно прекратился. Как только Джон Кеннеди и его жена ступили на землю Далласа, из-за облаков засияло солнце. Молодая первая леди улыбалась, хотя только за месяц до этого ее постиг тяжелый удар судьбы. Третий ребенок Джеки умер через несколько часов после сложных родов. Страшное несчастье для нее и Джона — оба очень хотели этого ребенка. Может быть, Джеки в этот ветреный ноябрьский день верила, что тяжелейшие испытания остались позади. А может быть, она просто хорошо владела собой. Толпа, приветствовавшая президентскую чету в аэропорту, видела, во всяком случае, красивую первую леди, которая, казалось бы, полностью сконцентрировалась на своей задаче: быть рядом с мужем, американским президентом.

Элегантная Жаклин была стильно одета, как и обычно при официальных визитах. На этот раз она выбрала розовый костюм с маленькой шляпкой-пилоткой. Очарованная толпа ликовала. Кто-то вручил ей букет красных роз на длинных стеблях, она крепко держала его в руках. Розовый костюм и кроваво-красные цветы создавали ослепительный контраст. В сущности, это было зловещее предзнаменование.

Мария Каллас — кумир миллионов

К этому времени Мария Каллас была признанной оперной дивой. Однако ее появления на сцене становились все более редкими. Уже четыре года она была возлюбленной греческого миллиардера Аристотеля Онассиса и с удовольствием проводила время на его великолепной яхте «Кристина». Мегазвезда мечтала наконец стать его женой и закончить оперную карьеру. «У меня больше нет никакого желания петь... я хочу иметь ребенка», — заявила она в интервью газете «France Soir» в 1960 году. Фактически Каллас была тогда на седьмом месяце беременности и прятала тело в складках широкого платья. Певице, которую так восторженно принимала публика, было уже 36 лет, и она боялась, что и голос, и публика скоро покинут ее. Годы напряженного труда не прошли для дивы бесследно, нервная система была расшатана. Насколько она любила Онассиса, настолько она и страдала от своей роли вечной любовницы.

В 1959 году Онассис пригласил Каллас погостить на «Кристине». Ах, как любил этот темпераментный богач знаменитостей! Кого только из выдающихся современников он не приглашал к себе на яхту.

Ну вот. Теперь была очередь Марии Каллас. Итак, Аристотель Онассис и его молодая красавица-жена Тина принимают оперную диву с ее мужем, Батисто Менегини. А еще многочисленных не самых простых гостей. Например, сэра Уинстона Черчилля. Чувство Каллас к Онассису вспыхнуло буквально в первые же дни. Жизнь звезды изменилась коренным образом. Бедный муж почувствовал ее полное охлаждение. Несчастный не мог поверить своим глазам, видя, что происходит между любимой женой и гостеприимным хозяином. Очень гостеприимным.

Тина же вначале делала вид, что ни о чем не подозревает, и играла роль безупречной хозяйки изысканного общества. Чего не могли знать окружающие, так это того, что брак Тины с Аристотелем давно дал трещину. У нее был молодой любовник, и она уже просила Онассиса о разводе. Миллиардер же и не помышлял разводиться с этой писаной красавицей, родившей ему сына и дочь: Александра и Кристину.

Этих подробностей гости «Кристины», конечно, не знали, но все чувствовали (кроме Черчилля, которому было абсолютно все равно, у кого с кем роман), что происходит нечто значительное. Казалось, все считали Марию виновницей того, что атмосфера на борту яхты становилась все более холодной.

Мария Каллас и совершенно не ревнивая Тина, хотевшая к тому же развода, вступили в борьбу. Да, Тина Онассис больше не любила мужа, но не значит же это, что она не сопротивляясь отдаст его оперной звезде. Явной ссоры не было, но было множество ехидных уколов и трюков, чтобы выставить другую в невыгодном свете.

Самое главное в этом сражении за миллиардера было — не сдаваться первой.

Ари Онассис попал меж двух огней и даже пытался огонь раздувать.

Приговор Париса

Полистайте истории богов и героев античной Греции. Боги, герои. А речь-то идет об основных чертах человеческой натуры. Любовь, ненависть, зависть, ревность, соперничество — мы не боги, но все это знакомо и нам.

В истории «Приговор Париса» сын троянского царя Приама и его жены Гекубы попал в сложное положение: Гера, Афина и Афродита, представ перед ним в блистании своей красоты, пожелали узнать, кто из них самая красивая. Предысторией этого вопроса была свадьба Пелеуса с нимфой Тетис. На торжество пригласили всех жителей Олимпа, кроме Эрис — богини споров и раздоров.

Разъяренная пренебрежением к себе, Эрис бросает в толпу богов яблоко, на котором написано: «Прекраснейшей». На этот фрукт, вошедший в словари как «яблоко раздора», и сопутствующий ему титул «Прекраснейшей» претендовала каждая из трех богинь. Что ж, будем судиться, решают богини. Бедный Зевс, выступая в качестве третейского судьи, уклоняется от вынесения приговора, предлагая вынести решение о «Прекраснейшей» на суд людей.

Парис — человек, значит, решать предстоит ему. Каждая из трех божественных красавиц пытается привлечь его на свою сторону. Гера обещает ему власть. Афина — мудрость и владение искусством войны. Афродита же сулит ему любовь Елены — красивейшей из смертных. Парис выбирает Елену и одновременно объявляет Афродиту «Прекраснейшей». Гера и Афина так разгневались, что поддержали греков при завоевании и разрушении Трои.

Отказывая Тине в разводе, Онассис был не прочь иметь любовную связь со знаменитой Марией Каллас. Чем дольше длился круиз по Средиземному морю, тем глубже становилась их взаимная сердечная привязанность. Ночами они сидели на палубе и разговаривали. А разговоры об их любви уже будоражили мир. У каждой пристани представители желтой прессы с любопытством ожидали прибытия роскошной яхты, чтобы получить новейшие фото и сплетни.

Есть фото, на котором Онассис держит Каллас за руку, показывая ей во время высадки на берег античный театр. Дива и миллиардер были настолько в доверительных отношениях, что никаких путей для отступления уже не было. Тина кипела от ярости. Даже не желая больше состоять в браке с Аристотелем и будучи в курсе его бесчисленных связей со знаменитыми женщинами, она, тем не менее, не хотела без борьбы сдавать позиции хозяйки яхты своей новой сопернице. Во время выхода на берег она надевала платья, от которых захватывало дух, и пускала в ход все свое обаяние, чтобы в этой необъявленной войне привлечь симпатии на свою сторону. А Онассис, очевидно, к тому времени полагал, что сможет удержать обеих женщин: и жену, и свою новую возлюбленную.

Мария Каллас влюбилась в Онассиса, как подросток. Оба они были греками, и каждый был по-своему настойчив. В конце круиза Каллас навсегда распрощалась с Батисто Менегини. Она поверила, что наконец-то нашла любовь своей жизни.

Онассис же… Онассис же, безусловно, испытывая к ней теплые чувства, все-таки не считал, что ему пора бы, как сказали бы современные чиновники, «определиться» с женщинами. Трудно остановиться, если коллекционируешь любовниц с именами. И с какими именами!

Ну, например, легендарная Эвита Перон, бывшая первая леди Аргентины. Она прошла через сотни мужских постелей, прежде чем добилась того, о чем мечтала с детства — власти и богатства. Но после замужества, по всей вероятности, оставалась верной своему мужу, президенту, на протяжении всей их совместной жизни.

Однако достоверно известно об одной ее измене, когда она просто не смогла устоять перед так ценимыми ею властью и богатством, олицетворением которых стал Аристотель Онассис. Эвита встретилась с ним во время Второй мировой войны, когда она занималась отправкой продовольственных посылок в Грецию, оккупированную нацистами. А когда в 1947 году Эва прилетела в Европу, Онассис специально приехал в Италию, чтобы встретиться с ней. После официального обеда, на котором присутствовало много почетных гостей, он попросил секретаря Эвы организовать для него личную встречу. Его пригласили на виллу, где остановилась первая леди Аргентины. В тот же день Онассис и Эва оказались в постели и занялись любовью. Позже Эва собственноручно приготовила Онассису омлет, а он передал ей чек на 10 тысяч долларов. Через несколько лет Онассис, смеясь, назвал омлет, которым угостила его Эвита в тот вечер, «самым дорогим омлетом в его жизни».

Но вернемся к Марии Каллас. В 1960 году казалось, что ее планы о жизни вне концертных залов осуществились. Она была беременна от Онассиса и надеялась на совместное с ним будущее. Но Ари, не изменяя своим привычкам, бороздил Средиземное море на «Кристине» с толпой гостей, в то время как она в Милане, полная страхов, ждала родов. Мария чувствовала себя одинокой, как это часто бывало в ее жизни. Когда ребенок появился на свет, это был мальчик, врачи не смогли спасти ему жизнь. Через два часа после рождения сын Ари и Марии был мертв.

Онассис настаивал, чтобы Каллас снова пела. Однако ее обычно такой прекрасный голос, которым она умела передать и чрезвычайную печаль, и нежность, и ярость, и жестокость, теперь отказал ей. Греческая трагедия, которую она так проникновенно олицетворяла на сцене, настигла ее в реальной жизни. И публика не знала пощады. «Они создают себе идола, — сказала Каллас в одном телевизионном интервью. — Идолов используют и уничтожают. В тот момент, когда они нуждаются в помощи, находясь в тяжелом положении, их уничтожают».

Покушение в Далласе

Джон Ф. Кеннеди был кумиром молодой и либеральной Америки. Со своей обаятельной, интеллигентной женой Джеки, которая была с ним рядом, он нес надежду на лучшее будущее западного мира. Уже вступая в должность, 35-й президент Соединенных Штатов призвал своих сограждан воплотить в обществе новую социальную идею. «Не спрашивайте, что может сделать для вас ваша страна, спросите, что можете сделать для нее вы», — эти слова сегодня широко известны.

В ноябре 1963 года позади у молодого президента в политике осталось много серьезных испытаний. Берлинский кризис в период возведения стены между Восточным и Западным Берлином, кризис в Карибском море потребовали от него максимум политической мудрости. В драматические дни 1961 года, когда мир стоял на краю ядерной войны, Кеннеди продемонстрировал миру крепость своих нервов. Теперь он хотел быть избранным на второй срок.

Погода в Далласе между тем улучшилась. Служба безопасности предоставила президентской чете два лимузина, один — с защитной крышей из плексигласа, второй — открытый.

«Так как люди пришли для того, чтобы его увидеть, президент решился на открытый автомобиль», — объясняла жена бывшего губернатора штата Техас. Вместе с Джоном и Джеки они сели в открытый лимузин. По обеим сторонам дороги стояли жители Далласа. Многие выкрикивали приветствия, помахивали руками. Никому и на ум не могло прийти, что на одном из складов в центре города некий молодой человек в течение часа не сводит глаз с улицы, держа винтовку на взводе.

Нелли Конелли наслаждалась поездкой с VIP-гостями. «Я думала, что лучше и быть не может. Поэтому я повернулась к Кеннеди и закричала: «Мистер Президент, теперь Вы не можете сказать, что Даллас Вас не любит!» А потом, чуть позднее, события стали развиваться со стремительной скоростью. За семь секунд прозвучали три выстрела. Нелли Конелли вспоминает: «Первая пуля пролетела над моим плечом, я повернулась и увидела, что президент поднял вверх руки. Затем, наклонившись вперед, стал сползать с сиденья».

А телевизионные кадры с места происшествия уже обошли весь мир. Миллионы людей были в шоке. Джеки Кеннеди смогла дать позже комиссии по расследованию только неточные показания. Те несколько секунд, что так драматически изменили ее жизнь, были как бы стерты из ее памяти. «Джеки кричала: «Они убивают моего мужа. У меня в руках его мозг», — описывает Нелли Конелли мгновения после выстрелов. Несколькими часами позже было объявлено о смерти президента.

Возвратившись в Вашингтон после покушения в Далласе, Джеки Кеннеди находилась в состоянии оцепенения. На ней еще был розовый костюм, покрытый пятнами крови мужа. Она была красивее, чем когда-либо, писал газетный репортер, но безмолвна. Проронила только несколько слов: «It's going to be so long and lonely» («Для меня наступает долгое одиночество»). Она, очевидно, имела в виду свою жизнь после смерти мужа.

Что станет теперь с Джеки и с ее маленькими детьми? По возвращении в Вашингтон, в Белый дом, доктор назначает молодой вдове успокоительные средства. Но уже на следующее утро она начала приготовления к похоронам мужа. Джеки решила, что гроб должен быть закрытым. Ей хотелось, чтобы в памяти людей президент остался таким, каким они его знали при жизни. Траурная церемония должна была быть организована по примеру похорон Авраама Линкольна.

Несмотря на свое горе, Джеки уже думала о том, что будет дальше. Какое положение сможет она занять в будущем? Для того чтобы в дальнейшем самостоятельно играть видную роль, нужно сохранить память о Джоне Ф. Кеннеди, сохранить память о его легендарном обаянии, которое с первых же дней брака Джеки формировала вместе с ним. Только тысячу дней длилось ее время в Белом доме, но миф должен жить дальше. Джеки планировала прощание с властью так же тщательно, как три года назад занималась оформлением новой жизни в Белом доме. Собранно, целеустремленно, непоколебимо.

Камелот — так окрестила Джеки этот центр власти в сердце столицы, когда въехала с молодым президентом после его вступления в должность на Пенсильвания Авеню, 1600. Камелот — название сказочного дворца короля Артура, здесь он собирал своих верных рыцарей посидеть в компании за столом. Свой собственный мир хотела устроить Джеки в Белом доме и начала тотчас же очищать от хлама правительственную резиденцию. Она искала мебель и картины, заботилась о красках, материалах и декорациях, которые соответствовали бы этому, собственно говоря, скромному зданию. И ей удалось благодаря ее познаниям в искусстве и чувству стиля перевоплотить светский центр власти американских президентов в гламур.

Джеки гордилась своим Камелотом и хотела его представлять. Не только посетители и гости из других государств должны были знать, как выглядит Белый дом изнутри. Так она распахнула двери для телекамер, лично водила репортеров по вновь оборудованным помещениям. Сдержанно, со знанием дела, давала она нежным голосом комментарии, и зрители могли догадаться, сколько сил и решительности кроется в этой изящной женщине, их первой леди.

Будучи на самом верху общественной лестницы, Джеки могла себе многое позволить. Могла себе позволить и самых лучших советчиков, каких только можно приобрести за деньги. Она нанимает персонального стилиста Олега Кассини. Он вспоминает: «Когда Джеки пришла в Белый дом, у нее было только несколько незначительных платьев. Люди всегда считали, что она явилась с огромными чемоданами, полными прекрасной одежды. Это далеко не так. Все надо было сначала создать».

Олегу Кассини удалось создать для первой леди совершенно особенный шик. Ее новые платья — благородны, скромны, но при этом экстравагантны, она украшает их немногочисленными, но заметными аксессуарами. Шапочка-пилотка, большие темные очки, нитка жемчуга и по сей день принадлежат «стилю Джеки».

Жена американского президента была красива. Но не только внешний облик делал ее исключительно привлекательной личностью. Джеки была интеллигентна и образованна, училась в Париже, свободно говорила по-французски. Она много читала, любила поэзию, живопись, слыла умной собеседницей. Неудивительно, что ею пленился Джон Ф. Кеннеди. И не он один. Она привлекала многих, даже тех, кто не слишком считался с ее мужем как с политиком. Пребывая с государственным визитом на встрече в верхах в разгар холодной войны в Париже и в Вене, Джеки источала такой шарм, что даже весьма трезвые политики, как Шарль де Голль и Никита Хрущев, были очарованы.

Жаклин Кеннеди очень любила создавать вокруг себя гламурный стиль, и это, естественно, стоило уйму денег. Не всегда к удовольствию мужа. Он мог взорваться, когда ему предъявляли к оплате счета жены. В основном, однако, он их подписывал. Скрепя сердце оплачивал он и колоссальный счет за содержание конного завода, служившего Джеки убежищем от официальной суеты Вашингтона. Она любила лошадей, а он любил море. И женщин, многих женщин. Джеки знала, что муж ей не верен. Однажды из-за этого она чуть не оставила его: отец Джона — Джо Кеннеди вынужден был вмешаться и уговорил ее не делать этого. Вскоре, впрочем, она научилась закрывать глаза на сексуальные аферы Джона Кеннеди. Их было немало, хотя здоровье у Джона было слабое. В то время состояние здоровья президента Америки скрывалось от общественности, теперь, через 40 лет после его смерти, история болезни Кеннеди открывает бесчисленные недуги, которыми он страдал.

У Джона был колит (воспаление толстой кишки), способствовавший изъязвлениям слизистой оболочки кишечника и хронической диарее. Ему было назначено гормональное лечение. Как побочное явление от лечения гормонами Джон Кеннеди приобрел остеопороз. И это еще не все. До последнего дня своей жизни президент страдал болезнью Аддисона (хроническим заболеванием почек), которая могла привести к летальному исходу. Этот молодой, внешне хорошо выглядевший президент был на самом деле тяжело больным человеком. В пятидесятых годах врачи прибегли к последним трем средствам, так как боялись, что он умрет. Теперь он принимал сильнейшие болеутоляющие средства, иногда ему резрешалось бегать, но только с костылями, кроме того, он носил корсет.

«Джон жил так, как будто не будет никакого завтра. Это был его способ обходиться с давившей на него тяжестью. Он был смелый, делал все, что хотел. Но это не имело отношения к его браку. Брак оставался браком. А Джеки была его женой», — рассказывает Олег Кассини.

Джеки, следовательно, слабости мужа были хорошо известны. Она научилась с ними обходиться и не в последнюю очередь искала утешения в том, чтобы тратить очень, очень много денег. А когда Джон сбивался с пути истинного, Джеки просто делала то, чем владела в совершенстве уже с детства, когда наблюдала, как рушится брак ее родителей: она отстранялась. Уходила в себя, молчала, смотрела в сторону. Этой же стратегией она впоследствии доводила и первого, и второго мужа до белого каления. Эта стратегия помогала мириться и с неизбежным. Кеннеди-мужчины не умели быть верными. Ей был известен этот феномен, ведь и ее любимый, обожаемый отец Жак Бувье был очень большим дамским угодником. И самое главное, умная Джеки обладала достаточным политическим инстинктом, чтобы понимать: если она оставит своего неверного мужа, клан Кеннеди потеряет президентство. После Джона Кеннеди к высочайшему посту страны должен был устремиться его брат Бобби. Так, по крайней мере, выглядели планы патриарха семьи Джо Кеннеди, хотевшего основать политическую династию.

Америка и не подозревала, как в действительности обстояли дела президента. Ничего не было известно ни о его болезнях, ни о его амурных эскападах. Афера с практиканткой Белого дома осталась тогда в тайне — тайна была раскрыта только совсем недавно биографом Кеннеди Робертом Даллеком. Сексуальные связи Кеннеди Джеки терпела, но неистово ревновала к женщинам, с которыми президента связывали платонические чувства. Тогда ей казалось, что он исключил ее из своей жизни. Внешне же функционировал фасад семьи Кеннеди. «Тогда это была невероятно притягательная семья. Жаклин Кеннеди, такая стильная. Джон Ф. Кеннеди был принцем, королем. Она принцессой, королевой. Все это выглядело так привлекательно», — пишет Роберт Даллек.

Джон Ф. Кеннеди умел использовать шарм красивой жены в своих политических целях. В марте 1962 года он посылает ее с нелегкой миссией в

Индию. В начале шестидесятых эта страна все более склонялась к дружбе с Советским Союзом. Джеки предстояло это положение изменить. Ни больше ни меньше! Индусы принимали ее с восхищением и кричали: «Amerikirani» — «королева Америки».

В поездке Джеки сопровождала ее сестра — Ли Радзивил, у которой дела в браке обстояли довольно неважно. Преклонение индусов, восхищенные приветствия в адрес улыбающейся Джеки — для Ли это было трудно переносимо. Видеть сестру на том месте, которое она сама бы с удовольствием занимала! Не говоря уже о том, что к Джону Кеннеди Ли и сама всегда питала слабость, а теперь еще он был и самым могущественным человеком на земле. Ли едва удавалось скрывать свою ревность по отношению к сестре. Однако она считала уместным извлекать выгоду из славы сестры-соперницы, а не вступать с ней в открытую вражду. Итак, она играла роль компаньонки. Кстати, это бывало нередко. Ну а путешествием по Индии остались довольны все.

На обратном пути первая леди сделала остановку в доме Ли в Лондоне. Здесь, у одного ювелира, она обнаружила необыкновенную драгоценность, которую обязательно хотела иметь с совершенно определенной целью. Это была античная бриллиантовая брошь в форме солнечного диска. С помощью этого украшения Джеки хотела затмить одну красавицу, которая должна была вскоре посетить Вашингтон.

Фара Диба со своим мужем, персидским шахом, объявили о своем приезде. Шахиня, как предполагала Джеки, будет увешана драгоценностями. С новой брошью в волосах Джеки могла бы выиграть соревнование. Ах, что это была за брошь! В уплату за нее пошли некоторые из дорогих украшений Джеки, и среди них фамильные драгоценности семьи Кеннеди. Мужу Джеки ничего не сказала. И впоследствии первая леди умела снова и снова находить пути и возможности потратить деньги, когда все бюджеты были давно исчерпаны. Со своим новым украшением, во всяком случае, королева Америки могла предложить персиянской шахине состязание под девизом: «Самая красивая женщина в мире».

Дома, в Вашингтоне, предстоял большой праздник, и Джон Ф. Кеннеди на глазах у всех открыто играл с огнем. Его 45-й день рождения должен был быть отпразднован большим гала-представлением в Мэдисон-сквер Гарден. В списке приглашенных — самые выдающиеся имена. Великая певица Мария Каллас должна была спеть попурри из «Кармен». Имя Мэрилин Монро — секс-символа Голливуда — тоже было представлено в программе.

Джеки лучше было бы не принимать участия в вечере. Слухи о ее муже и актрисе уже ходили по стране, и Монро хвасталась, что будет следующей первой леди. Кеннеди якобы хочет на ней жениться, сообщала кинозвезда со свойственной ей смесью наивности и переоценки собственных сил. И вот Мэрилин Монро на сцене Мэдисон-сквер Гарден в облегающем фигуру ярко-красном платье дышит в микрофон: «Happy Birthday Mr. President».

«Мэрилин Монро была для Джона развлечением, приятным времяпрепровождением, — вспоминает Олег Кассини. — Я не знаю, насколько глубоко она запала ему в душу. Об этом много говорилось, но я думаю, что он просто восхищался ею. Она забавляла его, и только». По крайней мере, после этого поразительного выступления в Мэдисон-сквер Гарден тема Монро была для президента закрыта. Ее же серенада ко дню его рождения хранится и по сей день в архивах телевидения.

О том, что великая Мария Каллас, с ее потрясающим голосом, блистала в тот вечер, давно забыли. Каллас и сегодня пришла бы в ярость, знай она, что маленькая артистка, с ее более чем скромными вокальными данными, навсегда похитила у нее это шоу.

Мария, доводящая все до совершенства

Это был долгий путь от маленькой Марии Калагеропулос — дочери греческих эмигрантов, родившейся в Нью-Йорке, до примы ассолюта международной оперной сцены.

Ее деловая мать рано обнаружила у дочери талант к пению и так же рано стала его использовать. Где только можно было, она заставляла девочку петь, не стесняясь брать за это деньги. Девочка пела, а на душе было плохо, она с детства чувствовала себя одиноко! Что касается внешности, Мария была далеко не красавица. В детстве и юности это доставляет столько страданий! Кстати, ее мать была интересной женщиной, а сестра — настоящей красавицей.

Далее, если следовать официальной биографии Каллас, должна идти такая фраза: «Преследуемая честолюбием матери, Мария начинает брать уроки пения». Да, Мария начинает брать уроки пения. Вскоре она смогла получить ангажемент в Вероне. Там же познакомилась она и с первым мужем, он был значительно старше нее, бизнесменом Джованни Батиста Менегини. Бизнесмен берет молодую, не имеющую средств певицу под свою опеку, заботится о ее нарядах, семье и быте. Мария обязана делать только одно — ПЕТЬ. Менегини заботится, конечно же, и об учителях — он же был менеджером Марии и делал ей карьеру. Первые большие успехи не заставили себя ждать.

Честолюбивая, интеллигентная девушка знала вскоре все важнейшие оперные арии, она могла даже не следить за дирижерской палочкой. В этом было множество преимуществ. Когда выглядишь внешне не особенно привлекательно, важно полностью сконцентрировать внимание зрителей на исполнении роли. На сцене Каллас излучала магическую силу. До нее в опере певицы демонстрировали только голос. С приходом в оперное искусство Каллас появилась певица и актриса в одном лице. Она страдала в великих трагедиях, зрители сопереживали ей.

К началу своей карьеры, ставшей карьерой столетия, Мария Каллас была пухленьким существом, которое только благодаря своему необыкновенному голосу привлекало к себе внимание. Певица ненавидела свою непропорциональную фигуру. При росте 175 см она весила 95 кг. Один из критиков по поводу ее выступления в опере «Аида» заметил, что ноги артистки не очень-то отличаются от ножищ слона. Ну как женщина может отреагировать на подобный комплимент? Каллас была глубоко уязвлена. Впоследствии восторжествовала знаменитая одержимость дивы доводить до совершенства все, что бы она ни делала. Чтобы иметь возможность исполнять роли страдающих героинь в «Медее» или «Амине», надо было быть стройной. И Каллас это удалось без того, чтобы нанести вред голосу.

Каким образом? Об этом ходили различные слухи. Был разговор об одной чудо-диете, благодаря которой она якобы похудела на 30 кг в течение года. Но скорее всего к этому результату в 1953 году ее привело нечто малоаппетитное. Здесь был замешан солитер, разгласили тайну бывший муж Каллас и ее приятельница. Нажила ли певица себе эту дрянь или глотала солитера намеренно — тут существуют противоречивые мнения. Так или иначе Мария Каллас стала маленькой и абсолютно подходила для ролей великих страдалиц. Она победила свое тело, выглядела блестяще и могла начинать свое восхождение.

Получал от этого, так сказать, личную выгоду и Батиста Менегини. Годами муж скрупулезно записывал каллиграфическим почерком в книгу расходов, какой гонорар он выплатил жене. По-видимому, доходов было больше, чем расходов. Менегини сделал из незаметной девочки хорошо оплачиваемую звезду международного класса, но Марию это мало интересовало. Больше всего она ценила, что муж дает ей возможность чувствовать себя защищенной, потому что в глубине души она осталась той же неуверенной девочкой, что и десять лет назад. А непонятой она считала и продолжала считать себя всегда. Греческая трагедия была у нее в крови. Это означало, что кроме великой, всепожирающей любви существует и великое страдание. В частной жизни певица очень и очень была склонна к тому, чтобы представлять себя жертвой. Нелюбовь к ней матери была излюбленной темой Марии Каллас. Подобные истории рассказывала она, вероятно, ночами Аристотелю Онассису на яхте «Кристина» во время судьбоносного круиза в 1959 году. Расположила ли она его этим к себе, привлекла ли его ее слава или он просто увидел в ней родственную душу, но знаменитый Ари решил завоевать эту женщину. По окончании круиза они уже были любовниками. Это было, пожалуй, самое счастливое время в жизни Каллас. Чаще всего она жила с Ари на «Кристине», наслаждаясь жизнью на шикарной яхте, или в Монте-Карло, или в Париже, где миллиардер позаботился о ее квартире. Каллас мечтала о семье и детях. Этой мечте пришел конец со смертью ее сына в 1960 году. Но она все еще верила, что Ари на ней женится. Мария Каллас стремилась приобрести официальный статус в жизни судовладельца, хотя для нее не было секретом, что у Онассиса есть и другие женщины, кроме нее. Ему принадлежала слава человека, которому женщины быстро надоедают, но великая певица всегда верила, что в конце концов станет для него единственной.

Того же ждала и Джеки Кеннеди от своего неверного мужа, американского президента. В 1963 году эта пара тоже потеряла сына Патрика, умершего вскоре после рождения. Потеря сына сблизила Джона и Джеки, но, несмотря на это, первая леди страдала от глубокой депрессии. Ей пришла на помощь сестра Ли. У Ли в это время была связь в Аристотелем Онассисом. Кстати, Мария Каллас знала об этом. Узнав о новом романе своего любовника, она хотела покончить с собой. Онассис был испуган, вызвал врача, но от своих амурных делишек не отказался. Итак, Ли осталась в его жизни и предложила пригласить на яхту Джеки: может быть, сестра хоть както развеет свою печаль. Онассис моментально учуял свой шанс стать еще ближе к кругам американского президента, в которые и без того был вхож через свояченицу Кеннеди — Ли. Мария, естественно, из компании исключалась. Ей оставалось только ревниво следить за сообщениями прессы о передвижении яхты. С болью в сердце рассматривала Каллас фотографии, на которых Онассис и Джеки были изображены в Смирне, на родине Онассиса. «Четыре года назад он там был со мной», — жаловалась Каллас подруге. Но самую большую ревность у нее вызывала Ли, точно так же надеявшаяся стать женой Онассиса. Для Джеки этот круиз был всего лишь эпизодом, но, возможно, уже тогда у нее возникла мысль, которая впоследствии должна была созреть.

Джеки становится иконой

После покушения в Далласе Джеки старалась сохранять внешнее самообладание. Внешнее (и только внешнее) самообладание ей сохранить удалось. Как ни велика была ее боль, она не могла не думать о том, как увековечить память о президенте и его правлении. Это Джеки решила похоронить его на кладбище Героев в Арлингтоне. Перед тем как гроб окончательно закрыли, она положила туда письма и личные предметы. Джеки написала несколько прощальных строчек, ее дочь Каролин и маленький Джон тоже. Мать водила рукой сына, он еще не умел писать.

В день похорон Джеки, в своем узком черном костюме, под вуалью, закрывавшей все ее лицо, походила на застывшую статую. На людях в этот день она не проронила ни слезинки. Когда гроб с телом Джона Ф. Кеннеди проносили мимо нее и детей, вдова оставалась неподвижной. Она сделала только один жест, понятный ее маленькому сыну. Джон знал, что мама имеет в виду, и поднял руку в последнем приветствии, салютуя отцу, президенту и Верховному военачальнику, — заставив плакать весь мир. Конечно, мальчик не понимал эмоционального значения своего салюта, но он очень хорошо понял, что хотела от него мама.

Совсем недавно она учила его салютовать. Это было во время поездки семьи за город на выходные. Один из друзей Кеннеди снимал их в эти часы отдыха любительской камерой. Это, по-видимому, последние снимки Джона в частной жизни, еще и сегодня свидетельствующие о царившей в тот день непринужденной, радостной атмосфере. Президент, по-домашнему одетый, сидит на траве, прислонившись к стене дома. Ему досаждает пони, обнюхивая его и тыкаясь ноздрями в руки, явно надеясь получить от Кеннеди что-то вкусненькое. Джон Кеннеди весело смеется и посматривает на жену. Джеки, очевидно, только что ездила верхом или собирается оседлать лошадь. На ней сапоги и шлем, а в руках — хлыст. Джон-младший стоит возле нее, на плече у него игрушечное ружье. Джеки кивает отцу, поднимает руку к виску, и маленький Джон понимает, что он должен сделать. Мальчик марширует, становится перед мамой навытяжку и салютует, как маленький солдатик.

В день похорон ребенок салютовал снова, только это была уже не игра. А у Джеки теперь будут в жизни две цели: защищать детей и сохранить память о муже. Вся Америка, даже весь мир, прощаясь с президентом, мог видеть рождение мифа. Отныне Жаклин Кеннеди была не только королевой Америки, но и святой. Она стала «общественным достоянием» страны. И, как это часто бывало у Джеки, то, чему она сама способствовала, впоследствии становилось ей в тягость.

Друзья восхищались молодой вдовой, ее необыкновенной внешней выдержкой. Пауль Фай, лучший друг Джона Ф. Кеннеди, не помнит, чтобы он видел на глазах у Джеки хоть одну слезинку. В конце траурной церемонии он выразил ей свои соболезнования, а затем, спрятавшись за занавеску, зарыдал сам. Да, внешне Джеки держалась стоически, но что творилось у нее в душе?

Почти незаметно для окружающих поддерживал Джеки один ее хороший знакомый — Аристотель Онассис. Весть о смерти Кеннеди застала его в Гамбурге, где он строил новое судно для своего пароходства. Ли передала ему страшную новость и по возможности пригласила на траурную церемонию в Вашингтон. Уже в воскресенье перед похоронами он был в городе.

В Белом доме Онассис ужинал вместе с членами клана Кеннеди. Джеки отсутствовала. Совместная трапеза после похорон является ирландским обычаем. Алкоголя было выпито немерено, и Онассис был вынужден выслушать в свой адрес несколько поддразниваний. Речь шла в основном о яхте «Кристина». Оборудуя яхту, грек, воображавший себя последователем героев «Одиссеи», предавался изыскам своего утонченного вкуса. Так, табуретки в баре были обтянуты шкурой китового яйца, что, невзирая на печальный повод, развеселило присутствующих.

Насколько Онассис был тогда близок Джеки, где они встречались, если встречались вообще, об этом ничего не известно. Но Онассис воспользовался возможностью снова напомнить о себе. С этого дня они поддерживали контакт по телефону. По окончании траурных церемоний Джеки должна была попрощаться с Белым домом. Постепенно она стала понимать, что это для нее означает. Покинуть то место, которое она так тщательно, с такой любовью оборудовала, в которое вложила столько сил и которое доставляло ей столько хлопот. Жить в Белом доме, а затем уйти оттуда! К этому Джеки едва ли была готова. Только тысячу дней прожила она в милом ее сердцу Камелоте, теперь все было кончено.

Нестабильная, растерянная Жаклин была подвержена резким колебаниям настроения. Плохое настроение она часто срывала на сестре Ли. Все те возможности, которыми она располагала в качестве супруги президента, канули в Лету. Молодая вдова чувствовала себя абсолютно беззащитной, почему-то начала беспокоиться о своем финансовом положении, хотя она получила значительную сумму от состояния Кеннеди.

Но одинокой она не была. Прежде всего об отчаявшейся вдове заботился Бобби Кеннеди, брат ее убитого мужа. Их всегда связывали исключительно тесные отношения, но теперь он был ей нужен как никогда прежде. Они были близки духовно друг другу в дни траура по Джону, переживая одинаковые чувства.

«Смерть мужа потрясла Джеки до мозга костей. Так же, как и Роберта Кеннеди. Вместе бродили они по темному туннелю печали. Бобби и Джеки утешали друг друга. Эти двое пострадали от потери больше всех», — пишет Артур Шлезингер, бывший советник Джона Ф. Кеннеди.

Поведение Джеки в это трудное для нее время не всегда вызывало понимание. Для нее стало привычным устраивать приемы только для мужчин, она приглашала знакомых, с которыми общалась в свое время в Белом доме. Их жены были исключены из круга рыцарей Камелота, что, естественно, вело к пересудам.

Мария Каллас однажды тоже оказалась в числе пострадавших. В 1964 году она приехала с Онассисом в Нью-Йорк, и ему представилась возможность посетить Джеки. Та приглашала его на воскресный бранч с настоятельной просьбой явиться без Марии. Онассис, входя в новую квартиру Джеки в Нью-Йорке, был вынужден констатировать, что все остальные гости — тоже мужчины.

Джеки вообще было трудно иметь дело с женщинами. Возможно, она еще до сих пор не доверяла потенциальным конкуренткам, брак с Джоном послужил ей хорошей наукой. Бобби принадлежал к доверенному кругу лиц молодой вдовы и вскоре после смерти брата поехал с Джеки и ее детьми кататься на лыжах. Их отношения становились все теснее, но Бобби, отец десятерых детей, не собирался оставлять свою жену Этель. Этель же, в свою очередь, закрывала глаза на отношения мужа с Джеки.

Когда прошло несколько лет после гибели Джона Ф. Кеннеди, в прессе стали поговаривать о первых кандидатах в мужья для Джеки, но подходящего среди них так и не нашлось. Вероятно, ее непостоянство, ее потребность в сильном плече, ее материальные претензии сильно сужали круг кандидатов. Во всяком случае, в начале 1968 года Джеки вспоминает о своем хорошем знакомом Ари Онассисе.

Мария совершает ошибку

К этому времени отношения между Каллас и Онассисом складывались не лучшим образом. Хотя вскоре после похорон Кеннеди они отмечали 40-летие дивы в парижском «Максиме», и окружающим казалось, что отношения у них вполне доверительные. Но Онассиса теперь занимала мысль, как он в дальнейшем сможет выстроить свои контакты с Америкой. Для Каллас это не было секретом, но, как и раньше, объектом ее ревности оставалась Ли Радзивил, младшая сестра Джеки. Как одержимая, великая певица бросилась в работу, видимо, втайне полагая, что сможет победить соперниц благодаря своему искусству. Однако ее голос пострадал за все те годы, когда она наслаждалась жизнью с возлюбленным и пренебрегала уроками пения.

Итак, отношения между Каллас и Онассисом становились все напряженнее. Часто это приводило к более чем неприятным сценам. В отличие от Джеки при ссоре Мария и не думала «отстраняться». Она бросалась в контратаку или начинала рыдать. Для Онассиса стало удовольствием унижать ее. Он обожал высмеивать ее внешность, например, длину носа. (У самого Онассиса нос был не короче. Что делать? К сожалению, к мужчинам и женщинам применяют различные мерки.) Мария чувствовала себя от его уколов глубоко, глубоко уязвленной. Характерное лицо певицы, которое так хорошо подчеркивало ее исполнительское искусство, в жизни делало ее несчастной. Еще ребенком она считала себя некрасивой, чувствовала себя нелюбимой. Эта обида навсегда ранила ей душу. Любовник не стеснялся эту рану бередить.

Несмотря ни на что, Каллас жила надеждой, что Аристотель в конце концов женится на ней. А Онассис, по-видимому, думал, как и тогда, во время первого знакомства с ней, что сможет удержать в своей жизни несколько женщин одновременно.

В 1965 году все выглядело так, что, казалось, Каллас могла возродить былой успех. В Парижской опере она дала восемь представлений «Тоски», потом полетела в Нью-Йорк, чтобы петь там. И снова в Париж, блистать в своей парадной роли в «Норме». Потом опять Нью-Йорк. Снова в программе «Тоска», и все билеты задолго до начала представлений проданы. Жаклин Кеннеди тоже появилась на премьере и вынуждена была терпеть те бурные овации, которыми публика награждала самую великую оперную певицу всех времен и народов. Аплодисменты в адрес бывшей первой леди при появлении ее в оперном театре нечего было и сравнивать с тем ликованием, с тем восторгом, что выпали на долю дивы (Каллас могла бы это рассматривать как поздний реванш за тот позор, что уготовила ей Мэрилин Монро своим легендарным выступлением в день рождения Джона Кеннеди в Мэдисон-сквер Гарден). Это был первый и единственный раз, когда Каллас торжествовала победу над королевой Америки.

Несмотря на этот успех, дела Каллас в дальнейшем ухудшались, это касалось и ее голоса, и ее отношений с любовником. Он часто ездил один, нередко бывал и в Нью-Йорке, а она проводила время в своей квартире в Париже. И все же… И все же она верила в его любовь к ней. Может быть, он и любил ее, только… Только целеустремленно преследовал свои планы в отношении Жаклин Кеннеди.

И снова предполагался круиз на «Кристине», который впоследствии до основания изменит жизнь его участников. Завязывалась греческая трагедия, в конце которой не было победителей — только проигравшие.

Аристотель Онассис

> Миллионер — это человек, с которым скучно. Исключение составляет только Аристотель Онассис.
>
> *Марлен Дитрих*

Онассис был среднего роста, волосы у него были иссине-черные, позже в волосах появились белые проседи. Нос был большой, характерный. Носил он толстые очки в роговой оправе. Аристотель Сократ Онассис, для друзей просто Ари, был обаятельнейшим мужчиной. Любил своих детей, любил общество друзей. Внутри, однако же, в нем, безусловно, таилась агрессивность.

Он предпочитал играть роль отрицательного героя, так как «отрицательная роль всегда интереснее», — так сказал как-то его биограф Петер Эванс. Онассис, по его утверждению, родился 15 января 1906 года (более вероятная дата рождения 1900 год, скорее всего, миллиардер убавил себе 6 лет) в Смирне, сегодняшнем Измире на Эгейском море. Смирна была греческой колонией Османской империи, в 1920 году она принадлежала Греции. В 1922 году в ходе греко-турецкой войны перешла к Турции. Война разрушила большую часть Смирны, около 25 000 жителей были убиты, более чем 100 000 изгнаны из города. Среди пострадавших была и семья Онассисов. Некоторых родственников убили, оставшиеся в живых были вынуждены бежать в Афины. Эта прежде состоятельная семья — отец импортировал табак и вино — теперь потеряла все и жила в бедности.

Аристотель Онассис выехал в 1922 году в Аргентину, где вначале трудился за гроши в качестве телефониста и посыльного в отеле. Однажды он предложил посетителю отеля совершенно неизвестную в Аргентине и Америке марку сигарет из Греции, тот восхитился так, что смышленый Онассис решил использовать старые связи отца и заняться торговлей табачными изделиями. Заработав свои первые 100 000 долларов, он использовал новый шанс и купил после мирового экономического кризиса шесть океанских танкеров у обанкротившихся хозяев. Стоимость этих танкеров была 150 миллионов долларов, Онассис же заплатил всего 120 000 долларов!

С этим первым маленьким флотом Онассис вошел в новое дело. Он стал заниматься транспортировкой нефти и газа. К началу Второй мировой войны его флот прибавил еще почти 50 кораблей. За колоссальную плату он предоставлял свои корабли беженцам. Испытывал ли он угрызения совести, обирая беженцев? Об этом история умалчивает. Зато историки, захлебываясь от восторга, рассказывают, что после войны он создает самый большой в мире флот из промысловых судов, которые в конце концов продает Японии. В 1957 году он основал совместно с Olimpic Airways собственную аэрокомпанию, выстроил собственную флотилию, насчитывавшую в 1971 году 100 кораблей. Купил себе остров Скорпио. Кроме того, до 1966 года Онассису принадлежало большинство казино и отелей высшего класса в Монако, до тех пор пока не обострились разногласия с князем-правителем Монако Ренье III\ и тот не вытеснил Онассиса из дела. «Говорят, что я не родовит, — как-то сказал Онассис Петеру Эвансу и продолжил: — К счастью, люди родовитые готовы не замечать этот недостаток, потому что я очень богат. Родовитость нельзя купить, но терпимость к ее отсутствию купить можно».

У Аристотеля Сократа Онассиса было много денег, много женщин. Это был один из самых известных людей своего времени. Он умер 15 марта 1975 года в Париже.

Прощание с Америкой

Еще один тяжелый удар судьбы должен был постичь Джеки Кеннеди. Бобби Кеннеди, брат убитого мужа, заменил в какой-то степени отца ее детям. В 1968 году Бобби пошел по стопам Джона: баллотировался в президенты США. В своих предвыборных речах он призывал американцев быть ответственными за все, что происходит в стране. В своей собственной семье Роберт Кеннеди тоже говорил об этом.

Он часто цитировал Евангелие от Луки: «Кому многое дано, с того многое спросится». «Он учил нас истинной ответственности и тому, чтобы мы серьезно относились к жизни. Мы должны этому миру что-то отдавать», — вспоминает дочь Бобби.

4 июня 1968 года Роберт Кеннеди выступал перед своими помощниками по избирательной кампании в «Амбасадор-отеле» в Лос-Анджелесе. Кеннеди почти не сомневался, что вскоре станет кандидатом от де-

мократов в борьбе за президентство. Покидая трибуну почти в полночь, он производил впечатление человека уставшего и обессилевшего. Последовали выстрелы. Их было восемь. Один за другим. Роберт Кеннеди умер в 42 года от руки палестинца. Убийца ненавидел его за проводимую министром дружескую политику в отношении Израиля.

Панихида по Роберту Кеннеди состоялась в одном из кафедральных соборов Нью-Йорка. На улицах перед собором молча стояли люди. В церкви с Кеннеди прощались десять его детей и жена Этель, производящая впечатление сохраняющей самообладание женщины. Этель была беременна одиннадцатым ребенком. Джеки под густой вуалью, как и четыре с половиной года тому назад на похоронах мужа, держалась с достоинством. Мистика какая-то, но окружающим почти казалось, что истинная вдова — это она. Эдвард Кеннеди, младший брат Джона и Роберта, произнес трогательную речь:

«Те из нас, которые любили его, и те, что провожают его в последний путь, молятся о том, чтобы все то, чем он был для нас и хотел быть для других, когда-нибудь воодушевило весь мир».

На кладбище в Арлингтоне, рядом с могилой Джона, Бобби обрел вечный покой. При погребении своего брата он держал за руки Джеки. Теперь она была одна. Люди, знавшие ее в то время, рассказывают о неком состоянии транса, в котором она пребывала. Казалось, что она не в своем уме. Она все еще считала себя первой леди и говорила о Бобби как о своем муже. Вероятно, до смерти Бобби она надеялась, что для нее будет возможным возвращение в Камелот, в ее мир в Белом доме. Со смертью Бобби умерла и эта мечта. Джеки, так спокойно державшаяся на похоронах Роберта под взглядами многих и многих, теперь кричала и буйствовала, впадала в панику. Она чувствовала себя абсолютно беззащитной, считала, что ее и детей преследует злой рок. «В этой стране они убивают Кеннеди», — скажет она позднее.

После смерти Джона его место занял Бобби, став как бы главой семьи и заменив отца Каролине и маленькому Джону. Во второй раз от нее насильственно оторвали человека, пользовавшегося ее доверием, любовью, предложившего ей поддержку. Есть люди, которые не в силах перенести трагедию такого масштаба: Джеки же несла теперь двойную нагрузку горя.

Аристотель Онассис сразу же почувствовал, что пробил его час. Оформив к тому времени развод со своей женой Тиной, он мог строить серьезные планы в отношении новой женитьбы. О Каллас речь не шла. Вылетев в Соединенные Штаты, миллиардер принялся утешать Джеки и увлек вечную вдову и икону Америки в свой греческий мир сказаний и мифов.

Во второй раз приглашает он ее на свою яхту, как и после смерти сына Джеки — Патрика. Одна пикантная подробность: совсем незадолго до Джеки на борту яхты была Каллас. Аристотель удалил ее с судна, пользуясь какими-то весьма шаткими доводами. Певица и не подозревала, что это было ее последнее плавание с возлюбленным.

А возлюбленный мечтал, что, путешествуя, сможет в непринужденной обстановке установить амурную связь с самой знаменитой вдовой в мире, искавшей после потери Бобби надежную пристань.

«Он явился в момент, когда темные тени печали грозили меня поглотить», — рассказывала Джеки. Сильный, харизматичный Онассис казался единственным мужчиной в мире, способным освободить ее из-под обломков Камелота и предложить новую, равноценную жизнь. Все препятствия, стоявшие ранее на пути этих двоих, теперь не имели значения. Ари Онассис мог дать все, что в этот момент требовалось Джеки: силу, любовь (так ей, по крайней мере, казалось) и деньги.

Горькая месть

Мария Каллас, узнав, насколько серьезно все обстоит между ее любимым и соперницей, сходила с ума от ярости и разочарования. Сделать нельзя было ничего. Прочитав сообщение в газете о предстоящей свадьбе, она отступила. В душе ее раскрылись все раны, нанесенные жизнью и людьми, которых она любила.

Каллас была всегда склонна к тому, чтобы себя жалеть, со временем это свойство обострилось. Она ссорилась не только с Онассисом. Вспоминала о своей матери, не любившей ее, принуждавшей дочь петь и извлекавшей из этого выгоду — точно так же, как и ее муж Джованни Батиста. Сводила счеты с критиками. «Никто не давал себе труда представить себя на ее месте. Никто не гордился ею, никто не поддерживал» — переживая крах любви, Каллас жила этими мыслями.

Как и Джеки после смерти Бобби, Каллас испытывала страх и впала в панику. Похоронив все надежды на брак с Онассисом, она полностью осознала свою беду. Те девять лет, что она была его любовницей и провела рядом с ним, она теперь считала унижением и потерянным временем. После последнего телефонного разговора с Онассисом, говорившим с ней уже из Нью-Йорка, из квартиры Джеки, стало ясно, что все, все кончено. Как он с ней говорил! Каким ледяным тоном!

Что ж, надо было по-новому устраивать свою жизнь — без него. Но вначале хоть как-то отомстить многолетнему любовнику. Каллас считала себя его жертвой, и ей была невыносима мысль, что он благоденствует и наслаждается жизнью, а она из-за него страдает. Только этим, вероятно, и можно объяснить, что она стала рассказывать друзьям историю, впоследствии попавшую даже в некоторые издания биографии дивы. Она утверждала, что Онассис незадолго перед окончательным разрывом заставил ее сделать аборт. По-новому рассказывала она и историю, действительно трагическую, о смерти их общего с Онассисом сына. Действительно, этот ребенок умер сразу после рождения. В новом изложении умерший младенец был нежелательным ребенком, которого изверг Онассис, вероятно, уже в материнской утробе приговорил к смерти.

Марии Каллас поверили, бесцеремонно посчитав, что Онассис способен и на такую подлость. Принудительный аборт казался печальной вершиной трагических отношений, в которых женщина, мечтавшая о материнстве, была жертвой бесчувственного, властолюбивого тирана. Никто не должен теперь удивляться, что для этой пары будущее было невозможным.

Для Каллас выдумка об аборте была, возможно, необходимым катарсисом, чтобы выйти живой из пагубной ситуации, в которой ей была уготована роль отвергнутой любовницы. Благодаря исследованиям биографа Каллас Николаса Гаге этот «вынужденный аборт» считают коварной выдумкой. Это был ее способ навешать на Онассиса всех собак.

Ари, между тем, перед женитьбой на Джеки крепко задумался. В конце концов, он никогда не считал, что страсть к женщине — это повод жениться на ней. Джеки настаивала. (Да, да — именно Джеки. Воля у нее была сильная.) Настаивала так сильно, что неукротимый грек испугался своей собственной смелости, все более и более падая духом. Газеты были уже полны сенсационными сообщениями, и все, кто имел к этому отношение, боялись скандала в случае, если свадьба не состоится. Онассис очень хорошо осознавал, насколько неприятна такая ситуация, но был далеко не уверен, что брак с Джеки — это хорошая идея. Его дети ужаснулись, они надеялись, что, когда Каллас больше не будет стоять на его пути, отец снова сойдется с их матерью — Тиной.

Раны от развода родителей так никогда и не зарубцевались в душах Александра и Кристины. Теперь в жизни отца появилась эта чужая американка, которая собиралась делать все по-своему, как это было в то время, когда она была женой Джона Ф. Кеннеди и жила в Белом доме.

Была ли любовь между Джеки и Аристотелем? Этот вопрос часто поднимался и столь же часто подвергался сомнению. Верят очевидцам, наблюдавшим эту пару, что, по крайней мере, в первое время их связывала страсть. Но, вероятно, сильнее было стремление каждого из них преобладать в этом союзе. Для Ари королева Америки была самым драгоценным бриллиантом в его мерцающей коллекции женщин. Джеки надеялась, что это замужество позволит ей сохранить видное место в обществе, дающее возможность придерживаться ее очень дорогого и экстравагантного стиля жизни.

Свадьба была неизбежна. Однако чуть ли не перед свадьбой, и Джеки об этом ни в коем случае не догадывалась, Онассис уже снова установил контакт с Марией Каллас. Она согласилась с ним поговорить, но не более того. Бывший любовник рассказывал ей о своих сомнениях по поводу брака с «вдовой». А кому еще, кроме Каллас, мог он это рассказать?! Каллас возражала, что он должен расхлебывать кашу, которую сам же и заварил.

Супружеская пристань на острове Скорпио

Наступило 20 октября 1968 года. На греческом острове Скорпио, принадлежащем Онассису, встретились гости со всех концов света, чтобы присутствовать при бракосочетании Жаклин Кеннеди и Аристотеля Онассиса.

На обычно таком солнечном острове в Средиземном море в тот день шел дождь и происходили бурные сцены. Перед церемонией журналисты штурмовали остров. С греческого корабля их были вынуждены призвать к порядку.

Джеки была в белом: плиссированная юбка до колен и очень игривая, в ее особенном стиле, верхняя часть платья. Волосы свободно спадали до плеч, только на макушке она заплела косу, которую украсила длинными белыми лентами. Джеки выглядела почти как невинная девочка, словно хотела стереть из памяти людей те картины, что являла собой на похоронах братьев Кеннеди: черная, окаменевшая вдова. Небольшой группе специально отобранных репортеров разрешалось присутствовать на церемонии бракосочетания, и им бросилась в глаза напряженная, угрюмая атмосфера, царящая на свадьбе. Ни одного нежного жеста, ни одного поцелуя, новобрачные походили на людей, совершивших сделку.

Те немногие фотографии, что запечатлели это знаменательное событие, не предвещали ничего хорошего в будущем. Кроме принужденно улыбающейся Джеки и скорее скептически ухмыляющегося Онассиса, все остальные выглядят довольно угрюмо.

Сын Аристотеля Онассиса, Александр, охарактеризовал этот брак короткими, точными словами: «Они созданы друг для друга. Мой отец любит громкие имена, а Джеки любит деньги».

В ночь после церемонии, проводившейся в соответствии с ортодоксальным греческим ритуалом, гостей пригласили на яхту «Кристина». На пальце Джеки сверкало новое дорогое кольцо с рубинами в форме сердца, окаймленного бриллиантами, в ушах сверкали такие же серьги. Подарок нового мужа. Знак его любви?

Онассис осыпал свою жену подарками, она наслаждалась этим. Джеки, казалось, получила то, о чем мечтала. Но, как вскоре выяснится, это был только еще один акт греческой трагедии, выпавшей на ее долю.

«Джеки, как ты могла?» — так была озаглавлена статья одной из газет, вышедшей после свадьбы. Америка отвернулась от своей смелой вечной вдовы. Многие воспринимали ее брак с греческим богачом как предательство Д. Кеннеди и всей нации в целом.

Мария Каллас отреагировала на свадьбу по-своему. Ослепительно красивой появляется она в эти дни на публике в Париже. В элегантном вечернем платье, украшенная бриллиантами, она демонстрирует себя в ресторане «Максим», где они часто бывали с Онассисом. Присутствующий в ресторане репортер был потрясен (красивая на сцене, в жизни Каллас не была красавицей) и констатировал, что в тот вечер она затмила даже богиню киноэкрана Элизабет Тейлор, которая также была в ресторане. «Онассис же, наоборот, красив как Крез, — острили знакомые репортеры, считая, что великой певице приятно это слышать. — Джеки правильно сделала, что подарила своим детям такого дедушку». Друзья Каллас, со своей стороны, упоминали о драгоценностях, подаренных Онассисом жене. Все это только второй класс, барахло. Марии и самой известно большинство из этих украшений, так как она сама когда-то получила их от миллиардера, а потом вернула их ему, когда обозначился конец их отношений. Только рубиновые серьги были действительно хороши, но Каллас они бы не подошли, утверждали друзья.

К сожалению, даже то, что Джеки получила от Онассиса только «барахло», не привело Каллас к душевному равновесию. Она была, как и прежде, глубоко уязвлена и производила впечатление красивой, но злой феи, проклинавшей свою соперницу. И очень скоро шепоток о «злых чарах Джеки» стал набирать силу.

Злые чары Джеки

Вначале казалось, что Джеки (теперь Кеннеди-Онассис) довольна своей жизнью. Как и когда-то в Белом доме, она начала свою новую жизнь с того, что поставила свое окружение с ног на голову и все организовала в соответствии со своими представлениями о красоте. Джеки занялась домом на острове Скорпио, и Онассис охотно оплачивал огромные счета за внутреннее убранство дома и мебель. Когда же Джеки собралась переоборудовать яхту «Кристина», Ари воспринял это как покушение на его личность и запретил ей что-либо там переделывать. «Кристина» была его домом, и он был хозяином дома. Джеки добросовестно старалась жить так, как полагалось жене грека. Часто оставалась на острове одна, в то время как судовладелец занимался своими делами. Несколько раз ей пришлось остаться на Скорпио помимо своей воли: в отличие от Кеннеди Онассис не терпел ее непунктуальности и просто уезжал без нее, если она не была готова к определенному часу.

Нельзя сказать, чтобы и Онассис сначала не старался наладить их жизнь. Но не получалось. Дети встретили мачеху очень недружелюбно, относились к ней без всякого уважения. Своих собственных детей она часто оставляла на попечение персонала, для того чтобы следовать за своим всегда занятым мужем. Очень скоро, к великому неудовольствию Онассиса, ей сопровождать его надоело.

Миллиардер к началу брака с самой желанной женщиной в мире был озабочен и тем, чтобы заключить самую большую сделку в истории Греции. Проект «Омега» включал в себя строительство нефтеочистительной станции, алюминиевой фабрики, чугуноплавильного завода, электростанции и нескольких верфей. Предполагались инвестиции в четыреста миллионов долларов, и все это с благословения греческой хунты, пришедшей к власти за год до этого.

Аристотель Сократ Онассис находился в зените свой власти. Обладающий сказочным богатством, знаменитой женой, несчетным количеством экс-возлюбленных, он достиг всего, о чем мечтал. Однако с этого момента дело приняло другой оборот.

За Марией Каллас стали ухаживать другие мужчины. Франко Росселини и Пьер Паоло Пазолини — выдающиеся деятели итальянского кинематографа — пытались привлечь ее к совместному проекту в кино. Им хотелось запечатлеть Каллас на экране в ее звездной роли — Медее. Предложение было соблазнительным, судьба Медеи была исключительно близка диве. Женщина, которую предали. Женщина, чей муж оставил ее ради дочери короля, — эта роль была будто бы создана для Каллас.

Со свойственным ей подъемом она посвятила себя подготовке к новой карьере киноактрисы. Каллас надеялась таким образом перенести свою славу со сцены на экран, а это была идея, высказанная однажды именно Онассисом.

Богач предпринимал все возможное, чтобы возобновить отношения со своей бывшей возлюбленной. Мария поначалу не хотела его знать, позже уже была готова с ним разговаривать и, наконец, стала снова принимать Онассиса в своей квартире в Париже. Чем дольше длился брак с Джеки, тем больше жаловался Аристотель на «вдову», как он ее называл. Слишком часто оставляла она его одного, бывая у своих детей в Нью-Йорке. Продолжала тратить колоссальные суммы денег на одежду. Онассис разгадал ее специальную «денежно-вещевую систему». Она оставляла ему счета для оплаты, а потом продавала многие едва надетые или не надетые вовсе вещи в магазинах секонд-хенд.

И в бизнесе удача стала изменять Онассису. Четыре корабля судовладельца были повреждены, а когда в 1971 году повысились цены на нефть, лопнула и операция «Омега». Счастье, улыбавшееся ему в течение десятилетий, изменило миллиардеру. Во всем виноваты злые чары Джеки — в это верил не только он, но и прежде всего дочь Онассиса — Кристина, ненавидевшую американку. Все чаще искал Онассис близости Марии Каллас, жаловался на холодность и расточительность жены, при этом все же полностью восстановить отношения с бывшей любовницей не смог.

Он зашел так далеко, что пригласил как-то Каллас в ресторан «Максим» поужинать. Естественно, эту пару сфотографировали, и Джеки пришлось принять вызов новоявленной соперницы. Жаклин Кеннеди-Онассис немедленно вылетает из Нью-Йорка в Париж, чтобы уже на следующий день ужинать с мужем за тем же столиком в «Максиме» под вспышками фотоаппаратов. Вот так! Знай наших! Каллас разволновалась и наглоталась таблеток. Впрочем, газетные сообщения о попытке самоубийства она решительно отмела.

Нарастал снежный ком из провокаций, ревности и депрессий, грозивший поглотить всех в этом любовном треугольнике. Больше всего были напряжены нервы Каллас. Онассис, как это уже давно и часто бывало, подливал масла в огонь. Мария Каллас отдыхает у друзей на одном из греческих островов, он прилетает туда на вертолете, внезапно появившись перед ней на пляже. Эти двое долго беседовали, и наконец Аристо поцеловал Марию в губы. Откуда ни возьмись появившийся папарацци с радостью запечатлевает этот интимный момент. И снова

Джеки отреагировала моментально. Она прилетает из Нью-Йорка в Грецию, чтобы напомнить о себе.

Богач уже был пресыщен американкой и все чаще подумывал о разводе. Утешения он искал у Каллас. Она выслушивала его, но в прежние отношения вступать отказывалась, поскольку он еще был женат. Миллиардеру стало ясно — он должен принять решение. Развода не избежать, надо только подумать, как можно освободиться от «американской вдовы» и обойтись минимальным скандалом.

В сущности, Онассис понял, что только Каллас любила его так, как он в этом нуждался. Он ее потерял и теперь был готов на все, чтобы только ее вернуть. И тогда же судьба отняла у него человека, которого он любил больше всех в жизни.

Последнее слово остается за смертью

Между Александром Онассисом и его отцом существовали сложные отношения. Слишком властным человеком был греческий богач, и слишком бесцеремонно обращался он со своими детьми. Они должны быть такими же, как он. Александра миллиардер хотел воспитать по своему примеру и сделать из него бизнесмена и дамского любимца. Сын был совсем другим человеком, и корабли интересовали его постольку-поскольку. Больше всего он любил воздушные полеты.

На борту «Кристины» был устаревший самолет, и Александр годами говорил отцу, что машина кажется ему ненадежной и ее надо заменить. Александр хотел приобрести для яхты вертолет. Наконец он настоял на своем.

22 января 1973 года старый самолет отправился в рейс, которому суждено было стать последним. В кабине пилота находился новый пилот Олимпийских авиалиний — авиакомпании, принадлежащей Онассису. Александр хотел лично инструктировать нового работника, который должен был временно управлять самолетом до тех пор, пока машина не будет окончательно списана. Оторвавшись от взлетной полосы аэродрома Афин, самолет опрокинулся набок, коснулся земли и несколько раз перевернулся. Александр Онассис получил тяжелые ранения. Его вытащили из-под обломков машины, прооперировали, однако спасти ему жизнь не удалось.

Аристотель Онассис безудержно рыдал, получив сообщение о смерти любимого сына. Его мир обрушился, потерял смысл, теперь у него не было наследника по мужской линии, которому он мог бы передать дело.

Что касается дочери, то Онассис не считал, что Кристина может играть важную роль в его империи. По его мнению, женщины должны были подчиняться мужчинам, и в этом он не делал для своей дочери никаких исключений.

Очень скоро после смерти сына Онассис был уже снова в гостях у Каллас, в ее квартире в Париже. Казалось, она единственная, кто в полной мере может сочувствовать его потере. В конце концов, когда-то они оба печалились о смерти их общего сына, который так недолго прожил.

Джеки тоже пыталась снова приблизиться к мужу, как-то утешить его, помочь перенести страшный удар судьбы. Но Онассис не переставал страдать и печалиться. Освободиться от Джеки, как он собирался, сил уже не было. Его первая жена Тина, мать Александра, потеряв сына, утратила и желание жить. Она начала пить и умерла вскоре после гибели Александра, будучи всего 45 лет от роду. Когда-то такой живой, темпераментный, Онассис стал теперь больным человеком. Он страдал миаастенией — заболеванием иммунной системы. Лечить его были вынуждены гормонами.

Мария Каллас выступала с концертами, появлялась на людях со своим новым молодым поклонником — тенором Джузеппе ди Стефано. Публика принимала ее выступления благосклонно, но критики считали, что она уже не та.

Брак между Онассисом и Джеки продлился шесть с половиной лет. Эти двое почти не виделись друг с другом и .рождество праздновали раздельно.

К началу 1975 года здоровье Онассиса резко ухудшилось, он сильно похудел и, очевидно, утратил всякую волю к жизни. Своей дочери Кристине он дал себя уговорить на операцию в Париже. 15 марта 1975 года он умер в клинике. Одиссей пришел к концу своего долгого путешествия.

Джеки провожала его в последний путь как официальная вдова. Онассиса похоронили на острове Скорпио рядом с сыном Александром.

Со смертью Онассиса закончилось и соперничество между Марией Каллас — оперной дивой и Джеки Кеннеди — дивой власти. Они стояли на пути друг у друга, как будто бы на белом свете существовал только один мужчина — Аристотель Онассис.

После смерти Аристотеля Мария Каллас уединяется в своей квартире в Париже. Только немного друзей и верная экономка остались при ней. Она снова прибавила в весе, и еще долго мысли о возвращении на сцену будоражили ее бессонными ночами. В конце жизни Каллас еще очевиднее стало заметно раздвоение ее личности: с одной стороны, обожаемая публикой суперзвезда, с другой — робкая, некрасивая девочка, которую никто не любил.

«Каллас еще раз убивает меня», — так описывала сама певица этот феномен. Она уже не могла жить без таблеток. В них она искала утешения, с их помощью хотела решить свои проблемы. Под конец она твердо решила снова избавиться от своих килограммов и придерживалась строжайшей диеты. Утром 16 сентября 1977 она рухнула возле своей кровати. Угасла ярчайшая из звезд. Марии Каллас было только 53 года.

Джеки Кеннеди-Онассис жила теперь в городе, который она любила больше других, в Нью-Йорке. Она заняла место редактора в одном из издательств и занималась делами культуры. Джеки была тесно связана с Метрополитен-музеем и отдавала много сил увековечиванию памяти своего первого мужа — Джона Кеннеди. Она старалась сохранить в памяти людей блеск времен его президентства, поддерживать миф о Камелоте. Все новые разоблачения любовных афер президента и его возможных связей с мафией приводили ее в бешенство. Возможно, обо всем, что становилось известным только теперь, она тоже узнавала впервые.

Показателен разговор Джеки с ее экс-родственницей Джоан — женой Эдварда (Тедди) Кеннеди, состоявшийся между ними в середине 70-х годов. Джоан была в отчаянии от измен мужа и пыталась утопить горе в алкоголе. Джеки утешала ее своей собственной историей и мыслью о том, что мужчины клана Кеннеди не могут быть верными. Джоан была потрясена, она ничего не знала об этом. Никто в тайны семьи президента США ее не посвящал, а пресса 60-х годов частными разоблачениями еще не занималась.

Возможно, что и Джеки только много лет спустя получила представление о многих деталях. Это не препятствовало, однако, тому, чтобы быть лояльной к клану Кеннеди, а детей воспитывать в духе любви к памяти отца. Как она клялась незадолго до смерти, дети оставались для нее всегда на первом месте, и она гордилась, что они живут, не спекулируя именами своих знаменитых родителей. Каролину можно было назвать интеллектуалкой, Джон-младший стал одним из интереснейших людей в мире. В нем совместились харизма и обаяние его необыкновенных родителей, и многие пророчили ему большое политическое будущее. Может быть, он мог бы стать и президентом Соединенных Штатов.

Джеки особенно любила сына, и судьба смилостивилась над ней, не дав узнать о его ранней кончине. Джон Ф. Кеннеди-младший погиб в авиакатастрофе вместе со своей молодой красавицей женой Каролин и ее сестрой. Самолет вылетел в непогоду, Джон Кеннеди-младший в тот роковой день сидел за штурвалом.

Джеки Кеннеди-Онассис в последние годы своей жизни жила в условиях и в окружении, где она наконец чувствовала себя защищенной. Неизлечимое онкозаболевание заметно подорвало ее силы. Она говорила: «Я правильно питаюсь, я делаю все, что говорят врачи. И вот я умираю».

Умерла Джеки, как и жила, с достоинством. Ее похоронили на кладбище Арлингтон в Вашингтоне рядом с первым мужем.

Интервью с Николасом Гаге, автором книги «Греческий огонь»

КБ: Мария Каллас всю жизнь боролась с неуверенностью в себе. Откуда пришли эти сомнения и какого рода они были?

Гаге: Мария родилась в 1924 году, через год после смерти брата. Ее мать была разочарована, что родилась девочка, и, как следствие, Мария чувствовала себя нелюбимой. Кроме того, она не была хорошеньким ребенком, это была пухленькая девочка с прыщами на лице. Будущая певица была неуверена и в себе, и в окружающем ее мире. Но именно этот скепсис помог ей впоследствии, она полностью сконцентрировалась на своем искусстве. Она стала величайшей певицей своего времени и произвела революцию в опере.

КБ: Думаете ли вы, что в зрелом возрасте, будучи уже всемирно известной оперной дивой, она испытывала сомнения в себе?

Гаге: Об этом трудно судить. С уверенностью можно только сказать, что эти сомнения жили в Марии, когда она была подростком, и в юности. Она приехала в Грецию незадолго до Второй мировой войны и голодала. Это были тяжелые времена. Мать Марии принуждала ее встречаться с немецкими и итальянскими солдатами, чтобы получить какую-то еду. Только пение доставляло Марии радость, и она полностью отдавалась ему.

КБ: Какие отношения были у Марии с матерью?

Гаге: Плохие. В последние 25 лет жизни Мария вообще не разговаривала с матерью. Она упрекала мать в том, что та ее никогда не любила, а только использовала, чтобы получать деньги. Мать, в свою очередь, давала интервью, в которых остро критиковала дочь.

КБ: Думаете ли вы, что мать Марии Каллас настаивала на том, чтобы дочь стала певицей?

Гаге: Нет, я думаю, мать хотела, собственно говоря, чтобы певицей стала старшая сестра. Старшая сестра была красивее младшей. Мать думала, что все счастье семьи зависит от этой светлокожей блондинки — старшей сестры Марии. Потом оказалось, что Мария талантливей, и мать стала уделять ей больше внимания. Но было уже поздно, Мария чувствовала, что мать больше любит сестру. Поэтому Каллас отвергла мать, а когда они встречались, то громко ссорились. Однажды Мария отправилась на гастроли в Мексику и пригласила с собой мать. Накупила матери дорогие подарки, чтобы только расположить ее к себе. Но, как это и всегда бывало, мать спросила, почему она ничего не купила сестре. Мария поняла, что мать всегда будет любить старшую сестру больше. Между матерью и дочерью произошла грандиозная ссора. С тех пор они друг с другом не разговаривали.

КБ: Значит, Мария стала великой певицей только благодаря самой себе?

Гаге: Да. Это произошло действительно по собственному почину, благодаря ее желанию найти в себе что-то такое, за что ее будут любить. Это было как раз ее пение. Она стала работать со всем энтузиазмом и отдачей. Мария всегда казалась старше, чем она была на самом деле. В молодости она получала много интересных ролей, требующих большого напряжения. Это плохо повлияло на ее голос, поэтому он так рано изменил ей. Когда Каллас было за тридцать, свой голос она больше контролировать не могла. Каллас была вынуждена очень рано оставить карьеру оперной певицы. Виной тому было плохое обучение, полученное ею в молодости.

КБ: Но почему она так сомневалась в себе, если была такой талантливой?

Гаге: Именно потому, что она знала о своем таланте. Она его любила и использовала. Она хотела все делать лучше других. И делала. Она привнесла в оперу актерское мастерство. До нее оперные певицы, выходя на сцену, демонстрировали только голос. Она же свои роли играла, привлекая тем самым в оперу новую публику. Затем Каллас решила, что она слишком толстая. Певица весила почти сто килограммов, прежде чем усадила себя на строжайшую диету. За один год она очень похудела. Ей хотелось выглядеть как Одри Хепберн. Если вы посмотрите на ее фотографии того времени, то увидите, что Каллас одевалась по ее образцу и делала себе такие же прически, как и Хепберн. Каллас хотела быть красивой и любимой как женщина, а не только как артистка.

КБ: Мария Каллас и Аристотель Онассис находились в долгой любовной связи. Думали ли они пожениться?

Гаге: Их отношения начались в 1959 году во время круиза, ставшего знаменитым и даже вошедшего в историю, который Онассис совершил из Монако в Стамбул и обратно. В турне присутствовали Каллас с мужем, Онассис и его жена, Уинстон Черчилль и несколько членов его семьи. Во время плавания Мария и Аристотель полюбили друг друга. Вернувшись в Монако, каждый из них оставил свою половину. (Правда, Онассис, любя Каллас, жену тоже не хотел терять.) Они чувствовали себя созданными друг для друга. Она была женщина, которую искал Онассис, а он был тем мужчиной, которого искала она.

КБ: Но почему же они не поженились?

Гаге: Дети Онассиса и его сестра Артемис не любили Марию. Они были против этой женитьбы. Были, конечно, моменты, когда он думал жениться на ней. Но Мария не настаивала. Она не умела так же хорошо осуществлять свои претензии, как сумела это позже сделать Джеки Кеннеди. Мария всегда говорила: «Мне нужно было в 1960 году сделать только один толчок». Не сделала. После смерти их общего ребенка она снова не потребовала от Онассиса жениться на ней. Хотя именно в то время он был к этому склонен. Момент был упущен, и с того времени эта тема для него уже больше не возникала.

КБ: Но Онассис был сильной личностью. Почему он не объяснил своей семье, что хочет на Марии жениться?

Гаге: Видите ли, Онассис хотя и был сильной личностью, но он очень любил своих детей. Он чувствовал, что своим разводом с их матерью сделал им больно. Дети были разочарованы в нем, а сестра не уставала повторять: «Ты же не женишься на этой певице».

Некоторые все-таки рекомендовали ему это сделать, например, свояк. Он считал, что единственным основанием для кого-нибудь вспомнить через 50 лет об Онассисе могут быть только его отношения с Каллас. Но большинство людей, близких Онассису, было против этого брака. К тому же у богача возникли новые любовные связи, и он хотел сохранить свою свободу. А Мария, как уже было сказано, не сумела заставить его жениться на себе, как это удалось Джеки.

КБ: Вам удалось установить, что у Каллас и Онассиса действительно был ребенок.

Гаге: Фактически очень многое указывает на существование этого ребенка. В 1959 году Каллас дала интервью одной французской газете. Она не говорила больше ни о чем, только о желании иметь ребенка, и в это время она уже была беременна. Между 1947 и 1965 годами она выступала как минимум по тринадцать раз в месяц. Но с ноября 1959 по лето 1960 года она не дала ни единого представления. Почему? Потому, что была беременна и уединилась, ожидая рождения ребенка. Она искала жилье в Швейцарии. Родился сын, но прожил всего несколько часов. Мария сфотографировала сына, чтобы показать фотографию Онассису, который снова плавал на любимой яхте в компании Черчилля. Я нашел копию этой фотографии в ее личных документах. Кроме того, есть документы о рождении и смерти. Так что никаких сомнений в существовании этого ребенка нет.

КБ: А что думал о ребенке Онассис?

Гаге: Когда умер его собственный сын Александр, он сказал Марии: «Как мне жаль, что так произошло. И как жаль, что наш сын не мог жить». Он знал, что после смерти их сына Мария нуждается в нем, и подумывал тогда жениться на ней. Он хотел избавить Каллас от меланхолии (депрессии, в клиническом понимании, у нее не было). Он устраивает для нее выступления в античном театре под открытым небом, южнее Афин, который использовали для греческих трагедий. Она была первой, кто там пел, и это стало сенсацией.

На этом представлении Онассис встретил, между прочим, сестру Джеки Кеннеди — Ли Радзивил, с которой у него была короткая любовная связь. Ли и представила его Джеки.

КБ: Какие надежды возлагала Мария на свои отношения с Онассисом?

Гаге: Как-то Онассис, вручая Каллас очень приличную сумму, сказал: «Прогуляйся к меховщику и выбери себе шубку». На что Каллас ответила: «Знаешь, Ари, я могу на свои деньги купить себе любую шубку. Но вот если бы ты только предложил: «Прогуляйся к ювелиру и выбери себе обручальное колечко!..» Но он не предложил.

Она хотела выйти за него замуж и иметь от него детей. Он был ее первой большой любовью. Мария была в восторге от Аристотеля и мечтала быть с ним постоянно. Они были вместе 9 лет, и она была все эти годы ему верна. После того как он женился на Джеки Кеннеди, Каллас стала встречаться с оперным тенором Джузеппе ди Стефано. После смерти Онассиса Каллас прервала все отношения с тенором, он был ей нужен только для того, чтобы вызывать ревность Аристотеля, так как певец был интересным мужчиной и значительно моложе Онассиса.

Онассис продолжал заботиться о ней, даже когда он уже давно был женат на Джеки. Он оплачивал апартаменты Каллас в Париже и следил за ее финансами. Он сделал ее своей партнершей при покупке одного из кораблей и заботился, чтобы соблюдались ее интересы с юридической точки зрения. Онассис остался с ней тесно связан до конца жизни. Мне кажется — Каллас была настоящей любовью его жизни. Только сам он понял это слишком поздно.

КБ: Вы думаете, следовательно, что Онассис любил Марию?

Гаге: Он любил ее по-своему, на свой манер. Он был греком, южанином, который играл только по своим правилам. Став старым и больным, он мог выбирать между лечением в Париже и в Нью-Йорке. Он предпочел Париж, здесь он хотел в последний раз увидеть Марию. И он виделся с ней. Она рассказывала, что он ей сказал: «Я любил тебя так, как умел». Это объясняет все.

КБ: Но Мария и Аристотель часто ссорились друг с другом?

Гаге: Это была часть их большой взаимной страсти. Они боролись, даже физически. Он бил ее, она давала сдачи. Потом все равно следовало страстное примирение. Люди, бывшие с ними вместе на яхте «Кристина», рассказывали об этой борьбе. Она угрожала оставить его и шла собирать вещи. А когда он ее звал, возвращалась назад. Это были бурные отношения, но это были и самые лучшие отношения, рожденные взаимной сердечной привязанностью.

КБ: Из-за чего они ссорились?

Гаге: Сначала она хотела, чтобы он женился на ней. Дальше из-за того, что она узнавала о его любовных связях с другими женщинами. А потом ей стало известно, что он встречается с Джеки Кеннеди. Разразилась грандиозная ссора, Мария Каллас пыталась даже покончить с собой. Предметом ссор становилось и то, что она принимала слишком много таблеток: Онассис упрекал ее за это. Она делала какие-то неуместные замечания, и он терял самообладание. Часто она гневалась от того, как он с ней разговаривает, но потом платила ему той же монетой. Это были отношения двух южан.

КБ: Что произошло, когда Онассис женился на Джеки?

Гаге: Онассис делил себя между обеими женщинами. Кстати, он не был интересным мужчиной. Он был очень обаятельным. В 1968 году Онассис взял с собой в плаванье Марию. Они вместе провели Пасху на Карибах, а затем он велел ей возвращаться в Париж. Как только Мария покинула яхту, он привез на «Кристину» Джеки. Мария, узнав об этом, пыталась, как уже говорилось, покончить с собой — этой попыткой самоубийства она хотела принудить Онассиса признать ее права на него. Но в это время он уже был очень занят Джеки. Самым лучшим вариантом для Онассиса было сохранить двух любовниц и не жениться ни на ком из них.

Когда начались переговоры о брачном контракте с Джеки, то ее адвокат требовал, чтобы в случае развода она получила 20 миллионов долларов. Онассис, видимо, желая избавиться от Джеки, сказал, что больше 3 миллионов не заплатит, что было смехотворной суммой для такого богатого человека. Адвокат посоветовал Джеки не давать согласия. Но она сказала: «Да», потому что, безусловно, хотела этого брака.

КБ: Онассис рассказывал Марии о своем намерении жениться?

Гаге: Нет, он же хотел увильнуть от свадьбы с Джеки. Но осенью 1968 года вдова президента США позвонила ему. Онассис был в Афинах, она — в Нью-Йорке. Джеки объяснила, что «Бостон Геральд» собирается опубликовать статью об их любовной связи. Будет скандал, который сильно ранит ее детей. Нужно объявить о свадьбе, сказала она. И Онассис, хотя и с колебаниями, но согласился на этот брак. Все произошло слишком быстро. После поспешной свадьбы медового месяца не было, так как Онассис был занят своим бизнесом. А через неделю после свадьбы он полетел в Париж к Марии. Вначале она не желала его видеть, а он не сдавался и, как мальчишка, бросал в ее окно камушки. Они встречались до самой его смерти.

КБ: Была ли Мария Каллас склонна к тому, чтобы себя жалеть?

Гаге: Она всегда чувствовала себя жертвой, которой злоупотребляли все, кого она любила. Каллас была страстной женщиной, которая все отдала Онассису. Только он не умел ценить этого. Во всяком случае до тех пор, пока не понял, насколько неудачен его брак с Джеки.

КБ: Что думала Мария Каллас о Жаклин Кеннеди?

Гаге: Я думаю, с одной стороны, она ее презирала. Мария говорила: «Как можно выйти замуж за кого-то, кто спал с твоей сестрой?» Она находила это отвратительным. Каллас считала, что Джеки вышла замуж только из-за денег Онассиса, и потому смеялась над ней. Но, с другой стороны, отдавала Джеки дань уважения за то, что ей удалось женить на себе Онассиса, чего сама Каллас сделать не сумела. Ее больше бесил Онассис, чем Жаклин, хотя она была уверена, что Джеки вышла за него по расчету.

ПРИНЦЕССА ДИАНА
И КАМИЛЛА ПАРКЕР-БОУЛЗ

Все начиналось со сказочной свадьбы, а превратилось в грязную трагикомедию, грозившую взорвать британскую монархию. Конец фатального любовного треугольника почти банален: принцесса нашла свою смерть в туннеле, изменявший ей супруг женился на давней любовнице, а королева продолжает управлять монархией, словно все беды только укрепляют ее позицию в глазах народа.

Но в этой десятилетиями длившейся афере все не так, как людям хотелось бы видеть, все не так, как рассказывают ее участники, и не так, как хотелось бы самой королеве и Букингемскому дворцу. Какой вред нанесла борьба двух соперниц — Дианы и Камиллы, можно будет измерить, вероятно, только по истечении времени. Кто хочет и умеет видеть, для того уже свадьба наследника трона принца Чарльза и робкой леди Дианы Спенсер — это только часть хорошо продуманного плана, преследовавшего единственную цель: на десятилетия застраховать британскую монархию.

Задача молодой пары была вполне очевидна: рожать детей, чтобы Виндзоры могли удержаться у власти. Однако уже в тот момент, когда жених и невеста 29 июня 1981 года вошли в лондонский собор Святого Павла и 750 миллионов зрителей так хотели верить в сказку со счастливым концом, темная тень «другой женщины» пала на великолепную церемонию. Когда Диана под руку со своим отцом проходила по коридору старинного собора, она увидела среди приглашенных Камиллу. Та была в светло-сером костюме, лицо было скрыто под вуалью. Диана ни в коем случае не была ничего не подозревающей овечкой, брошенной на алтарь Британской империи в качестве жертвы. Она была знакома с Камиллой и знала о ее роли в добрачной жизни своего будущего супруга.

«Ну хорошо, значит, ты тут, что ж, будем надеяться, что все, связанное с тобой, уже позади», — думала про себя Диана в тот исторический момент, приближаясь к архиепископу Кантерберийскому, совершавшему обряд бракосочетания. Вероятно, Диана была так наивна, что считала возможным в этой борьбе с соперницей победить уже самим фактом бракосочетания. Но как, собственно, она могла завоевать сердце принца Уэльского, принадлежащее другой?

А Чарльз? Думал ли он, что брак — это точка отсчета, с которой для него начнется новая жизнь верного, заботливого мужа и сознающего свою ответственность наследника трона? Или он уже тогда втайне планировал иметь то, что считали само собой разумеющимся его предки по мужской линии — право на любовницу? Свадьба века подчеркнула горькую правду: здесь связывают свои жизни два человека, едва друг с другом знакомые, которым почти нечего друг другу сказать и чей брак целенаправленно планировался — не без помощи самой любовницы, Камиллы Паркер-Боулз.

Фаворитка

Слово «фаворитка» происходит от французского слова «maîtresse» и означает «владычица» или «наставница». Так что само слово указывает на то, какое положение занимала фаворитка, являясь любовницей князя, дворянина или другого мужчины, занимающего значительное положение в обществе. С середины XV до конца XVIII века возник влиятельный институт фавориток при европейских княжеских и королевский дворах. Мужчины, вступавшие в брак из властно-политических соображений, имели со своими любовницами чаще больше общего, чем с женами. Как следствие, фаворитка часто оказывала большое влияние на любовника. То, что у мужчины есть одна или несколько фавориток, было всем известно, а жены это в большинстве своем терпели.

Жена, стоявшая в иерархии двора на втором месте после мужа, практически имела меньше влияния, чем фаворитка. Это, однако, не означает, что жены сдавали поле боя фавориткам без борьбы. Чтобы избавиться от соперницы, жена была вынуждена действовать втайне, пускать в ход хитрость, трюки и интриги.

Фаворитки королей чаще всего вели борьбу на двух фронтах. С одной стороны, они вынуждены были принимать во внимание интриги королей, с другой — держать оборону против женщин, пытающихся обрести благосклонность короля и потеснить фаворитку.

Самой знаменитой фавориткой была Жанна Антуанетта Пуассон, более известная всем как мадам или маркиза Помпадур (1721—1764). Ее сделал своей фавориткой и присвоил ей титул маркизы французский король Людовик XV (1715—1774). Мадам Помпадур прославилась тем, что оказывала сильное влияние на французскую политику. Много раз карьера министров зависела от этой женщины, выступавшей посредницей между ними и королем.

Фаворитки существовали не только при французском дворе и не только до XVIII века. Они существуют во всех уголках Европы и поныне. Самый известный пример — это Камилла Паркер-Боулз, долгое время бывшая фавориткой принца Чарльза.

Даже архиепископ, чья проповедь растрогала до слез и телезрителей, и гостей, присутствующих в соборе, знал, что, собственно, происходит. «Это был ангажированный брак», — признался он позже. Но красивое зрелище было слишком привлекательным, и толпа разразилась бурными аплодисментами, когда Чарльз в нарядной парадной униформе и Диана в своем умопомрачительном романтическом свадебном платье сказали друг другу: «Да». Для британской монархии это был торжественный момент: впервые за триста лет наследник трона брал в жены англичанку. Со времени коронации Елизаветы II в королевстве не было подобного праздника.

Коронованные особы, лидеры государств Европы присутствовали на сказочной свадьбе. Думали ли они, что очень скоро две женщины вступят в неумолимую, безжалостную борьбу, сражаясь за любимого мужчину всеми мыслимыми средствами. Но победит, естественно, только одна. Соперницы использовали в борьбе различное оружие, роли они исполняли тоже разные. Диана выступала в роли жертвы, Камилле принадлежала роль женщины сдержанной, все понимающей. Обе справлялись со своей задачей блестяще, прибегая к утонченной технике и манипуляциям, достойным пера Шекспира.

И с той же решимостью, что они боролись за сердце принца Чарльза Уэльского, отстаивали соперницы свои позиции в драме: Диана, так желавшая быть сказочной принцессой, и Камилла, с гордостью указывающая на тот факт, что ее прабабушка была любовницей короля Эдуарда VIII, прадеда Чарльза.

Начало их романа

В начале 70-х годов Лондон был местом проведения бесчисленных вечеринок. Золотая молодежь веселилась в пафосных клубах столицы. В клубе «Аннабельз» на Беркли-сквер встречались яркие молодые люди, принадлежащие к узкому кругу британского высшего общества. Здесь много танцевали и развлекались, как и в любой другой дискотеке, однако это место было столь эксклюзивным, что любопытные представители простого народа сюда доступа не имели. Идеальное место для охоты на мужчин для Камиллы Шэнд, относительно неизвестной девушки с голубыми глазами и прекрасной фигурой. Она происходила из аристократической семьи, и это обстоятельство открыло ей двери клуба «Аннабельз». Однажды ночью в 1972 году она встретила здесь человека, определившего ее судьбу: Чарльза, принца Уэльского. Ее будущий любовник не принадлежал к числу лучших танцоров, был сдержаннее и застенчивее своих сверстников, да и внешне выглядел менее привлекательно, чем большинство завидных женихов.

«С такими ушами нельзя стать королем», — предупредил однажды Чарльза его собственный дедушка. Камилла смотрела глубже. Она распознала в молодом принце родственную душу, он окрылил ее фантазию. Не слишком долго раздумывая, Камилла Шэнд предлагает ему свою любовь совершенно прямо и однозначно. На одной из вечеринок, венчавших окончание турнира по поло, она задала свой судьбоносный вопрос: «Моя прабабушка была любовницей Вашего прадедушки. А как насчет нас с Вами?»

Естественно, эти слова не может подтвердить никто, их же никто не слышал. Но вопрос красив, идеальным образом соединяя историю и современность.

Чарльзу эта история была очень хорошо знакома. Как и у многих его предков по мужской линии, у короля Эдуарда VIII была долгая связь с любовницей. Алиса Кеппел была на 28 лет моложе короля и была замужем. И король был женат. Пикантным образом и муж Алисы, и королева были посвящены в отношения любовников и терпели их. Жена Эдуарда, королева Александра, из-за своей глухоты все больше уходила в себя. Георг Кеппел, муж Алисы, даже ежегодно сопровождал свою жену и ее любовника короля Эдуарда в летних поездках. Почему он должен запрещать своей жене то, чем так сам любил наслаждаться, — романтические связи?

Король Эдуард ценил Алису как любовницу, но она предложила ему много больше. Алиса холила и забавляла короля, на людях же тактично держалась в тени, не выдвигая никаких претензий. Она принадлежала к узкому кругу людей, окружавших монарха до самой его смерти. Многие знали об их отношениях. Тактичная пресса молчала. Современники же почитали миссис Кеппел сколь за ее достойный уважения образ мыслей, практицизм и хватку, столь и за великолепную фигуру.

Для Камиллы Шэнд ее прабабушка была, следовательно, абсолютным и многообещающим примером, так что правнучка решила использовать возможность, предоставившуюся ей однажды вечером в клубе «Аннабельз». Чарльз и Камилла протанцевали всю ночь напролет. Она была уже опытной женщиной и к этому времени имела семилетнюю бурную связь с офицером Эндрю Паркер-Боулзом. Чарльз, воспитывавшийся в строгой военной обстановке, клюнул. Неопытный молодой человек, по возрасту всего на год моложе Камиллы, был покорен остроумной, находчивой женщиной, излучавшей то тепло, которого он никогда не знал в свои молодые годы. Принц пал сразу и навсегда.

Начался роман, длившийся с перерывами, переживший браки обоих и в конце концов закончившийся брачным алтарем. Этого, правда, Камилла ожидать не могла, клуб «Аннабельз» был совсем не тем местом, где будущий король знакомится со своей невестой. Что касается брака наследника трона, то в такие либеральные во всем остальном 70-е годы здесь царили еще законы о престолонаследии, уходящие корнями в XVIII век.

По этому закону будущая принцесса Уэльская должна была быть девственницей, происходить из знатной семьи и исповедовать протестантство. Достоинства, которыми Камилла не обладала. Чарльз не пошел на то, чтобы, пренебрегая условностями, жениться на любовнице и тем самым, возможно, утратить трон. Он продолжает военную карьеру и покидает Англию. Спустя короткое время Камилла извещает о своей помолвке с Эндрю Паркер-Боулзом.

Королевство для невесты

Шли годы. Принц возвратился в Англию. Пора было подумать о женитьбе.

Поиск подходящей жены для Чарльза стал проблемой. Девственницы были в то время почти редкостью как в простом народе, так и в высшем обществе. И для британской знати не прошли бесследно студенческие волнения 1968 года, сексуальная революция, изобретение противозачаточных таблеток. Подходящую невесту для принца и днем с огнем сыскать было трудно.

Чарльз за это время стал своего рода бабником, довольно часто менявшим подруг. Принц прекрасно играл в поло и своим спортивным видом завоевывал симпатии красивейших женщин. Заряженная сексом атмосфера турниров по игре в поло в Англии издавна считалась весьма благоприятной для возникновения любовных связей.

Камилла тоже любила эту атмосферу, в которой витал дух сексуальности. Она глубоко задела чувства Чарльза, выйдя в 1973 году за Эндрю Паркер-Боулза. Муж был на 9 лет старше Камиллы, изменял ей. Что ж, Камилла сама хотела этого брака. Когда-то она была влюблена в Эндрю Паркер-Боулза, и когда ей стало ясно, что Чарльз на ней не женится, она возобновила свои прежние брачные притязания к Эндрю. Теперь ей удалось добиться того, что Чарльз смирился с положением вещей и видел в ее супруге хорошего друга.

На бедного принца между тем нарастало давление с требованием найти для себя наконец подходящую партию. Королева была обеспокоена, да и пресса уже начала брать его на прицел как вечного холостяка. Последовало несколько довольно серьезных связей, но все они рушились, и не в последнюю очередь из-за негалантного поведения Чарльза по отношению к женщинам.

Только одна умела, как и прежде, приковать его интерес к себе: Камилла. Все чаще бывал Чарльз в доме четы Паркер-Боулз. Камилла за это время родила сына, и даже ходили слухи, будто бы Чарльз его отец. Это не соответствовало истине, но очевидная симпатия принца к Камилле рождала злые домыслы. Симпатия эта не оставалась тайной и для Эндрю Паркер-Боулз, но в конце концов он привык к тому, что Чарльз очень и очень часто бывает у него в доме.

После рождения Камиллой дочери Лауры в 1979 году у всех, кто был знаком с Чарльзом и Камиллой, уже не оставалось сомнений, что Камилла свернула на прежнюю дорожку. Теперь уже речь шла не только о взаимной симпатии, связывающей двух прежних любовников. На одном из балов после игры в поло их роман наконец возобновился, разгоревшись с новой силой. Эти двое протанцевали, крепко обнявшись, всю ночь, как когда-то в клубе «Аннабельз». Остальные гости чувствовали себя довольно-таки неприятно. Тогдашняя претендентка на брак с принцем Анна Уэллес сложила после этой провокации оружие и в ярости покинула поле боя (бал).

Все-таки «подходящая» невеста была достаточно умна, чтобы понять, насколько опасно влияние Камиллы на Чарльза. Анне было известно, что всех возможных невест Чарльза Камилла держит в поле своего зрения, критически рассматривая их кандидатуры с тем, чтобы они устраивали ее, Камиллу. Сама же Камилла ориентировалась, как и прежде, на пример Алисы Кеппел. Идеальной кандидатурой на брак с Чарльзом была бы женщина, которая не препятствовала любовной связи принца Чарльза с Камиллой, именно так, как когда-то поступала королева Александра.

Камилле очень нравилась роль советчицы принца Уэльского. Ее муж был офицером и долгое время служил за границей, это гарантировало ей свободу действий в качестве любовницы принца. Чарльз, в свою очередь, снова обрел в Камилле и любовницу, и человека, которому мог безоговорочно доверять.

По совету Камиллы принц покупает Хайгроув, это практически рядом с домом, где живет любовница. Это имело решающее значение. Теперь Чарльз обладал пристанищем, и было самое время наконец подыскать ему «подходящую» невесту.

На сцену выходит Диана

Молодая леди Диана Спенсер казалась идеальной кандидатурой на роль невесты. Миловидная, робкая, неопытная; по представлениям Камиллы, ее характер можно еще будет формировать так, как Камилле это нужно. Во всяком случае, любовница надеялась, что она сможет оказывать свое влияние на будущую принцессу Уэльскую.

Первой подумала о Диане королева-мать, бабушка Чарльза. Диана родилась в 1961 году, она была третьим ребенком в семье и обладала всеми достоинствами, которых не хватало Камилле. Эта была англичанка, девственница, с впечатляющим генеалогическим древом, корни которого уходили в XV век. Спенсеры разбогатели на торговле скотом и при Чарльзе Первом получили дворянство.

То, что родители Дианы находились в разводе, было не больше чем крошечным пятнышком на безупречной биографии. Сама Диана, правда, чувствовала себя обделенной судьбой. Никогда не забывала она жестокие ссоры между родителями, никогда не смогла забыть звука шагов матери по гравиевой дорожке, когда та наконец покинула навсегда дом Спенсеров. Отец женился снова, но смириться с мачехой Диана не смогла.

И хотя Диана Спенсер жила в роскоши, она не чувствовала себя счастливой: никто не мог удовлетворить ее огромную жажду любви.

Девушка искала то, что Чарльз нашел в Камилле: человека, который бы смог ей предложить эмоциональную защищенность. Она мечтала о вечной любви и крепкой семье. «Единственный брак, который не должен распадаться, — это брак принца Уэльского», — сказала как-то Диана.

Обучение в дорогом интернате в Швейцарии осталось незаконченным. Хотя Диана была девушкой спортивной, лошадей и поло она не переносила. Оценки у нее тоже были не особенно хорошие, и родители пристроили ее в одну семью, где она помогала по хозяйству и присматривала за детьми. Наконец ей разрешили возвратиться в Лондон. Диана делила с подругой квартиру из четырех комнат. Она бралась за различную, работу и в конце концов получила место воспитательницы в детском саду.

В это время на юную, знатную девушку и обращает внимание королева-мать. Надо сказать, что Диана была уже знакома с Чарльзом, по крайней мере однажды встречалась с ним. Это было «дикое» время для принца, когда он часто менял подружек и имел любовную связь с сестрой Дианы, леди Сарой. Диана влюбилась в принца с первого взгляда. Ее мечтой стало выйти за него замуж. Комната юной девушки была увешана фотографиями Чарльза.

Сильная роль Камиллы на заднем плане, известная и сестре, не занимала в фантазиях наивной, юной леди Дианы никакого места. Диане нужно было бы быть поосторожнее, но ей так хотелось стать сказочной принцессой. Какие тут могут быть соображения разума? Много забот ей доставляло совсем другое — глубокое чувство неуверенности в себе. И в то же время она чувствовала, что судьбой ей назначено что-то особенное. «Все мои подруги встречались с мальчиками, а я — нет, потому что я как-то знала, что я должна себя для чего-то сохранить».

Принцу указали на Диану, он начал за ней нехотя ухаживать, а юной леди уже казалось, что ее мечты сбываются. Она гордо сопровождала Чарльза на яхте «Британия» в Шотландию, затем на какую-то вечеринку. Впрочем, вечеринка не была «какой-то». Сюда же была приглашена и чета Паркер-Боулз, и Камилла могла бросить первый взгляд на соперницу — робкую девочку намного моложе ее, явно очень неопытную. Любовница осталась довольна, такую соперницу можно не принимать всерьез.

Тем не менее Камилла с самого начала была намерена защищать свое место рядом с Чарльзом. Поэтому она действовала в соответствии с проверенным стратегическим принципом: если не можешь врага победить, то сделай его своим другом. Неважно, что враг показался Камилле слабым. Любовница тщательно плела свою паутину вокруг Дианы и казалась вполне естественной. Часто они встречались в доме Паркер-Боулз.

«Я бывала в доме Чарльза и не могла понять, почему она меня постоянно поучает: «Не принуждай его делать этого, не делай того». Она была в курсе многих его и наших общих дел». Камилла присутствовала в новой жизни Дианы с первого момента, но наивная молодая леди верила, что это как-нибудь закончится. Между тем пресса уже кое-что пронюхала. Папарацци осаждали квартиру хорошенькой леди. На Британском острове пришла в движение карусель слухов, страницы газет и журналов запестрели сообщениями о невесте принца — Диане.

Пришло время внедрить сказку о большой любви в сознание читателей. Надо сказать, что в то время сознание читателей было вполне подготовлено для восприятия духовно возвышенных сообщений. Здесь «постаралась» Маргарет Тэтчер. Железная леди проводила тогда очень болезненную социальную и экономическую политику, и людям так хотелось отвлечься!

День и ночь дежурили папарацци у квартиры беспомощной Дианы, удивлявшейся, почему в этой неприятной ситуации ее не защищает Букингемский дворец. Звонок Чарльзу с просьбой о помощи не принес успеха. Он сочувствовал «бедной» Диане, которая не могла спастись от журналистов, но и только.

Диана попробовала, как это она позже часто делала, урегулировать отношения с прессой на свой лад. Она разрешила фотографам сделать снимки в детском саду, надеясь, что тогда они оставят ее в покое. Увы! Тогда еще Диана не знала ни единого репортерского трюка, которые позже научилась так мастерски использовать в своих интересах. А в первый раз она быстро попалась в ловушку. В тот солнечный день на ней была тоненькая хлопчатобумажная юбочка. Фотографы выбрали такой ракурс и освещение, что юбочка как будто ничего и не скрывала, и по фотографии можно было в полной мере судить о длине ног будущей принцессы. Ноги-то у Дианы были длинные и красивые, но она была шокирована. Принц Уэльский только подтрунивал над ней. Это послужило Диане первым уроком на пути к тому, чтобы самостоятельно руководить своим паблисити.

24 февраля 1981 года Букингемский дворец официально объявил о помолвке Чарльза, принца Уэльского, и леди Дианы Спенсер. О том, что будущий король Англии просил руки своей избранницы в огороде Камиллы Паркер-Боулз, объявлено не было. Камилла, естественно, узнала о помолвке прежде, чем все остальные. Когда Диана по приказанию двора перебралась в дом, где жила королева-мать, будущая принцесса нашла в своей комнате на кровати письмо от Камиллы.

Ни один из членов королевской фамилии не встретил ее, а теперь эти строчки соперницы: «Какая волнующая новость, это обручение. Давайте же вместе пообщаемся, когда принц Уэльский отправится в Австралию и Новую Зеландию. Он будет отсутствовать три недели. Мне так хочется посмотреть кольцо. С любовью, Камилла».

Снова плетет любовница свою паутину и снова показывает себя в этой дуэли мастером психологического ведения войны. Она дала понять Диане, что ей известен каждый шаг принца. Полный триумф! Теперь

Камилла хотела четко обозначить свою территорию. На общем обеде она осведомилась, будет ли Диана охотиться в Хайгроуве. Для молодой леди уже сама мысль о любимом хобби британской знати была противна. С отвращением она отвечает, что не будет. И тем самым необдуманно отдает эту территорию сопернице. Та с радостью подумала, что на охоту принца будет сопровождать сама.

После официального извещения о помолвке Чарльз и Диана впервые дали прессе общее интервью. Впоследствии оно часто цитировалось, так как приоткрывало их истинные отношения.

«Вы влюблены?» — поинтересовались журналисты. Это был вопрос вопросов. Диана едва смогла себя сдержать и закричала: «Ну конечно!»

Теперь все глаза, уши и камеры были устремлены на наследника трона. Тот явно чувствовал себя не в своей тарелке и медлил с ответом. Уже одно это было, собственно говоря, чересчур для жениха. Но последовавший наконец ответ прозвучал как пощечина: «А что означает любовь?» Воцаряется неловкое молчание, и Диана опускает глаза.

Одна телезрительница (интервью транслировалось по телевидению) могла быть довольна — и это была Камилла. Чем ранить свою тайную давнюю возлюбленную, Чарльз предпочел опозорить свою будущую жену. Диане он в любви не признался. Чаша весов любовницы перевесила. Самоуверенная Камилла, которую в школе звали просто Милла, еще раз доказала свою силу. Она привыкла настаивать на своем. Соученицы Миллы восхищались ею, уважали в ней своего рода лидера. Даже если она была одета не особенно модно или сексуально, все равно от нее всегда исходила удивительная притягательная сила.

Никого из действующих лиц, ни прессу, ни публику неприятный осадок от интервью не раздражал слишком долго. Все были настроены на свадьбу столетия. Хотя... хотя Диане было очевидно, что ее будущий муж сохраняет между ними дистанцию. Ее появления рядом с ним полностью соответствовали официальному протоколу, для импровизации не было никакого места. Принц жил своей жизнью, по своему усмотрению, а она должна была сообразовываться с его желаниями.

Во время официальной поездки в Индию жених ни разу не позвонил Диане. А невеста читает сообщения британской прессы о том, что в поездке с ним была некая блондинка. Все подумали, что речь идет о тайном посещении принца Дианой. Только Диане было об этом лучше знать. И если это была не она, то кто же был с Чарльзом в поездке?

Тень Камиллы простиралась все дальше, но Диана была решительно настроена дать ей отпор, считая, что с обручальным кольцом на пальце она окончательно потеснит соперницу. Кроме того, молодая леди догадывалась, какое впечатление производит ее свежее, очаровательное личико. Изо дня в день в глаза бросались заголовки газет: «Кто самая красивая женщина Англии?» И ответ был однозначным — Диана.

Вероятно и Чарльз не оставался вполне равнодушным к девичьему обаянию своей невесты, однако он осознавал гораздо больше, чем она, что будет означать для них брак. Получив традиционное воспитание, Чарльз не строил никаких иллюзий насчет своих обязанностей. «Я желаю делать все, что нужно для моей страны и моей семьи, но иногда меня очень пугает мысль дать обещание, в котором я, возможно, буду всю жизнь раскаиваться», — писал он своему другу.

Но для такого рода сомнений было уже чересчур поздно. Поздно было сомневаться и невесте. Незадолго до свадьбы она рассказала сестрам об отвратительной сцене с женихом. Несмотря на решительный протест личной секретарши Чарльза, Диана вскрыла посылочку, присланную для него ювелиром в Букингемский дворец. Там был браслет с выгравированными инициалами G и F.

Диана была совсем неглупа и тотчас же поняла, о чем, а главное, о ком идет речь. G — это Gladys и F — это Fred. Это были ласкательные, «конспиративные» имена, которыми называли друг друга Чарльз и Камилла. Перед свадьбой Чарльз решил сделать Камилле такой трогательный подарок. Обманутая невеста залилась слезами, пришла в ярость, однако, как и позже в большинстве подобных случаев, принц оставался невозмутимым. Он настоял на том, чтобы передать свой подарок Камилле. Чаша весов снова склонилась в пользу любовницы. Диана была вне себя, в пылу гнева впервые хотела отказаться от свадьбы. Но это было невозможно сделать. «Твое лицо уже красуется на кухонных полотенцах, это означает, что сейчас уже слишком поздно увиливать», — объяснили Диане сестры.

А Чарльз делает последнюю попытку поделиться своими сомнениями по поводу предстоящего брака с родителями. Разговор заканчивается ссорой. Не встретив у родителей никакого понимания, принц начал мириться со своим положением. Его 20-летняя невеста казалась ему скорее школьницей, чем женщиной, которая скоро выйдет замуж. И обращался он с ней соответственно.

В это время у Дианы развивается серьезное заболевание, связанное с расстройством пищеварения. (Когда кризис в ее браке достигнет своего пика, леди Ди так исхудает, что болезнь станет очевидной для всех.) А тогда она два-три раза в день буквально впихивала в себя пищу, чтобы ее тут же вырвало. Так она справлялась, а вернее, не справлялась с напряжением и тоской, охватившими ее в то время перед свадьбой.

Несмотря на все сомнения, несмотря на все доказательства связи Чарльза и Камиллы, несмотря на свое одиночество в королевских покоях, несмотря на то, что все предвещало несчастье, Диана пошла под венец. Она была, как и прежде, влюблена в Чарльза и все-таки считала, что это чувство взаимно. Однако Чарльз до сих пор встречался с Камиллой, и за несколько часов до свадьбы принца у них было свидание. Тогда, как говорили позднее его друзья, он хотел окончательно с ней распрощаться. Трудно судить, насколько твердым было это намерение. Подготовка к свадьбе столетия шла полным ходом. Пути для отступления уже не было.

Борьба начинается...

Когда колокола собора Святого Павла возвестили о дне свадьбы, невеста убаюкала себя обманчивой уверенностью, что своим «да» перед алтарем, своим обручальным кольцом и, наконец, колоссальным свадебным шоу она выиграет дуэль с соперницей. Молодая леди была решительно настроена защищаться всеми средствами, которые только были в ее распоряжении. Она начала действовать сразу же.

Около 120 гостей были приглашены на свадебный завтрак в Букингемский дворец. Имя Камиллы значилось в списке приглашенных, но по распоряжению Дианы было вычеркнуто. Камилла нанесла контрудар и тоже созвала гостей на ланч. Ее свадебный подарок принцу давно находился в его багаже, сопровождавшем Чарльза в свадебное путешествие. Диана воспряла духом, когда Чарльз не стал настаивать на присутствии Камиллы. Но уже несколькими днями позже на яхте «Британия», плывущей по Средиземному морю со свежеиспеченной супружеской парой на борту, последовал новый пренеприятный инцидент, и тяжелый душевный кризис Дианы вновь дал о себе знать.

Чарльз с молодой женой обсуждали сроки проведения совместных протокольный мероприятий. Из календаря принца выпали две фотографии с изображением Камиллы. Все напряжение, весь груз последних недель выплеснулись у Дианы в приступ ярости, сдобренный обильными слезами. Чарльз был в ужасе. И совсем не оттого, что дал повод. Чарльз был в ужасе от реакции своей жены. С подобным поведением Дианы он совсем не умел обходиться и просто прервал «дискуссию». Разъяснить свои отношения с Камиллой он упрямо отказывался.

Уже в этой стычке Диана должна была бы понять, что ее реакция еще больше отдаляет от нее мужа. Слезы, крики и моральное давление делали Чарльза только холоднее. Это усиливало ее душевную муку. Дьявольский круг замкнулся. На борту «Британии» во время медового месяца у Дианы возобновляется булимия — крики о помощи отчаявшейся души.

Страданиям Дианы во время медового месяца суждено было драматически усугубиться. Приплы-

ли в Порт-Саид, где вечером планировался празднич-
ный ужин с президентом Египта Анваром Садатом и
его женой. Чарльз появился с новыми запонками. На
запонках были выгравированы на сей раз две буквы
C — «Charles» и «Camilla». Какой удар для молодой
жены! Всем мечтам Дианы о романтических отношениях с принцем не суждено было сбыться, свадебное
путешествие превратилось для нее в ад.

При последней остановке супружеская чета посетила замок Виндзоров в Шотландии. Как всегда, пару окружали служащие, а пресса жаждала интервью.
Сколько сил, должно быть, стоило им обоим, дер-
жась за руки, позировать перед камерами!

Диану мучают кошмары. Ей кажется, что соперница преследует ее. «Я ему не верила, думала, что он
каждые пять минут ей звонит и спрашивает, что он
должен делать со своим браком», — доверилась позже Диана своему биографу Эндрю Мортону. А тут
еще ледяная атмосфера, царящая в королевской семье. И принцессе приходит на ум мысль о самоубийстве. Но не так, чтобы действительно уйти из жизни.
Это скорее крик о помощи, желание обратить на себя
внимание, чтоб наконец найти поддержку.

Ее душевное состояние было настолько тяжелым,
что уже и Чарльз не мог этого не замечать. Принц
доверился своему старому другу сэру Лоуренсу ван
дер Посту, писателю и философу, с просьбой помочь
жене. Диана не хочет принимать помощи мудрого по-
жилого человека. Она начинает принимать трankви-
лизаторы.

Чарльз, не умевший переносить трудностей, бывший сам абсолютно беспомощным, искал сочувствия
у женщины, с первых же минут отравившей его брак.
Все чаще они встречаются с Камиллой. Много време-

ни проводят вместе на охоте, и это тогда, когда о беременности Дианы уже объявлено. В ожидании первенца в королевской семье интерес прессы был сконцентрирован почти исключительно на Диане. Фотографы были буквально приклеены к принцессе, и даже просьбы королевы не слишком обременять ее невестку, по крайней мере, хотя бы во время беременности успеха не возымели.

Где бы ни появлялась Диана, люди ее радостно приветствовали, ее засыпали подарками. Гора бутылочек для молока, детская одежда — беременность их принцессы вызывала у подданных настоящую эйфорию. В первый раз Чарльз почувствовал себя на вторых ролях. Что касается Камиллы, то она владела теперь территорией, где у нее не было никаких собственных притязаний — давняя любовница ограничивалась только тем, что внимательно и неутомимо выслушивала Чарльза, изливавшего ей душу. Так как пресса полностью фиксировала свое внимание на Диане, встречи принца с Камиллой остались незамеченными.

А обожаемая народом принцесса чувствует себя все хуже. Беременность обостряет ее нестабильное состояние. К регулярным приступам булимии прибавляется тошнота по утрам и эмоциональная неустойчивость. И все более и более небрежное отношение со стороны мужа. Беременная принцесса падает с лестницы. «Королева была в ужасе, дрожала от страха. Я знала, что ребенка не потеряю, но у меня на животе было довольно много синяков. Чарльз в это время ездил верхом, а вернувшись, знаете, просто отмахнулся от этого, как будто бы ничего не случилось». Так описывает Диана несколькими годами позже этот случай своему доверенному лицу Эндрю

Мортону, записавшему ее воспоминания и издавшему книгу.

Вначале Мортон скрывал, что сама Диана рассказывала ему о своей жизни. Насколько правдиво излагала она это происшествие, остается неизвестным. Но не остается никаких сомнений, что к тому времени Диана уже поняла: ее сила заключается в том, что она может манипулировать общественным мнением. Люди должны считать принцессу сердец жертвой бесчувственного мужа. Сколько ужаса должны были все-таки вызвать у свидетелей сцены, подобные падению с лестницы! Как могла Диана быть уверенной, что жизнь ее ребенка не подвергается опасности (в том случае, если сцена с падением была ею разыграна намеренно)? В своем отчаянии она достигла той точки, когда всеми средствами, имеющимися в ее распоряжении, боролась за своего мужа.

21 июня 1982 года Диана родила сына Уильяма. За короткое время он должен был укрепить ее положение в королевской семье. Впервые могла она предъявлять свои требования. Диана настояла на том, что ее сын должен расти среди других детей, а она лично будет заниматься его воспитанием.

На публике принцесса пробует безупречно сыграть свою роль. Несколько поездок показали ей, какую бурю эмоций она может вызывать у людей. Диана оттачивала свое острейшее оружие, которое позже на пике противоречий в браке она так мастерски умела применить. Принц Чарльз был не в восторге от популярности своей жены. Все чаще его реакция была циничной. «Очень сожалею, что вы поймали меня (а не Диану). Лучше всего будет, если вам возвратят ваши деньги назад», — так выражал он свое недовольство, видя разочарование людей, ожидавших увидеть Диану.

Недолго длилась радость принцессы по поводу рождения сына. Она страдала послеродовой депрессией, и булимия, не заставив себя долго ждать, вспыхнула с новой силой. Чарльз уже знал, что ее душевная боль выплескивается в приступы ярости неизменно в направлении его персоны. Речь всегда шла об его отношениях с Камиллой, даже если Диана точно не знала, а только догадывалась о том, что делается за ее спиной. С каждой ссорой неприятие Чарльзом ее поведения только росло, и он все чаще спасался в объятиях любовницы. Чарльз и Камилла часто говорили по телефону. И наконец случилось то, что должно было случиться: Диана услышала телефонный разговор. Чарльз говорил из ванной комнаты. «Что бы ни произошло, я всегда буду тебя любить», — заверял он любовницу на другом конце провода, и Диана решила, что теперь уж у нее есть все доказательства неверности мужа.

Диана начала терроризировать соперницу ночными звонками, кричала, бушевала, но Камилла оставалась невозмутимой.

Хотя, по рассказам прислуги (никуда не денешься от недремлющего ока и сплетен прислуги, а ведь, поступая на службу, давали слово, что сплетничать не будут!), в это время Чарльз и Диана не часто делили супружеское ложе, Диана забеременела снова. В этот раз казалось, что ее состояние стабилизировалось, но когда принц Гарри появился на свет, Чарльз был разочарован. Он хотел девочку. «Ах, мальчик, — вздохнул Чарльз, — и еще с рыжими волосами!» Это был тот момент, будет позже объяснять леди Ди своим биографам, когда она внутренне отстранилась от мужа.

Важным оставалось для нее укрепить свою роль принцессы Уэльской. Это было подобно объявлению закулисной войны Чарльзу и его любовнице. К этому времени Диана была для публики обожаемым кумиром и знала об этом. Бесчисленные портреты Дианы красовались на страницах газет и журналов. Читатели не могли налюбоваться красивой, молодой принцессой, умевшей так мастерски опускать глаза. Леди Ди хотела теперь быть больше, чем «вешалкой для платьев Виндзоров», и посвящала себя серьезным социальным проектам.

Только борьбу за сердце своего мужа она уже давно проиграла.

Чарльз и Камилла регулярно встречались, у них были друзья, предоставляющие свои дома в их распоряжение. Друзья все знали и сочувствовали принцу. Образовалось даже два лагеря. Первый поддерживал принца Чарльза, другой — Диану. Дружить одновременно и с Дианой, и с Чарльзом было невозможно. Надо было решать, с кем ты. На публике Чарльз и Диана продолжали играть роль счастливой пары, и ни у кого из непосвященных не возникало подозрений, что дела в их браке обстоят так плохо. Хотя и размышляли о том, почему Диана так заметно теряет в весе. Британский журналист опубликовал статью, где говорилось об иррациональном поведении принцессы. Автор объяснял это расстройством пищеварения. Букингемский дворец немедленно отреагировал, выступив с гневным опровержением.

В 1986 году на выставке в Канаде произошел случай, который взбудоражил всю мировую прессу.

Принц и принцесса как раз подошли к калифорнийскому стенду, когда Диана, положив руку на плечо мужу, смогла еще прошептать: «Милый, я думаю, мне нужно отлучиться...» — и она уже была в обмороке. Несколько дней до этого леди Ди ничего не ела. Чарльз был в бешенстве. Снова она отвлекла внимание от непосредственных дел, которыми надо было заниматься во время поездки, на свое нестабильное состояние здоровья.

Чарльз был не способен адекватным образом реагировать на призывы своей жены о помощи. Слишком часто их столкновения заканчивались некрасивыми сценами. Поэтому его стратегия состояла в том, чтобы устраниться и обождать, пока все уляжется. От этого было только хуже, и в конце концов Диана стала прибегать к все более радикальным средствам. Если он не хотел с ней соглашаться, она хватала карманный ножичек и царапала себе грудь и бедра. «Было много крови, но он не реагировал на это вообще», — осуждала позже Диана мужа в одном интервью.

«Этим она же только гнала его в объятия Камиллы, — пишет биограф Джеймс Витакер. — Всякий раз, когда у него возникали проблемы, Чарльз не мог пойти с ними к матери, у той были другие заботы. К отцу, принцу Филипу, тоже. Пойти он мог только к Камилле. Она была для него больше, чем любовницей. Камилла была для него нянькой, понимала его во всем, абсолютно во всем!»

Собственно говоря, браку пришел конец, только никто не решался разорвать этот дьявольский круг. В ноябре 1987 года Чарльз и Диана поехали в Германию. Журналисты, сопровождавшие их, могли отметить ледяную атмосферу, царившую между мужем и женой; журналистскую братию ликование толпы ослепить не могло. Слишком красноречивы были взгляды Дианы. Она часто стояла с холодным выражением лица, отвернувшись от Чарльза. Людям же, приветствующим ее на улицах, принцесса дарила привычную лучезарную улыбку.

Как всегда, когда приезжали принц и принцесса, устраивались праздничные приемы, посещения оперных театров, банкетов — таким образом эти двое выполняли свою работу: представляли британскую монархию в гламуре. За кулисами можно было увидеть совсем другую Диану, если, конечно, такая возможность представлялась.

В Мюнхене Чарльзу и Диане демонстрировали лошадей. Собственно говоря, шоу было организовано для страстного любителя лошадей и наездника Чарльза. И вот тут немецкой журналистке удалось бросить взгляд на раненую душу. Диана раньше времени покинула представление через черный ход и уехала в своем лимузине. Когда лимузин принцессы поравнялся с одиноко стоявшей журналисткой, вышедшей покурить, взгляды двух женщин на короткий момент встретились. Диана сидела сгорбившись, с нее сошел весь лоск. Она выглядела как больная птица, посаженная в клетку, из которой невозможно улететь. Принцесса смотрела на незнакомку так, «как будто бы в этот момент она хотела со мной поменяться и быть обыкновенной молодой женщиной». Несколькими днями позже журналистка в телевизионной передаче говорила о сомнительном состоянии брака Виндзоров. Британская же пресса отмечала, что поездка Дианы и Чарльза в Германию была исключительно успешной и полезной для их брака. Эти двое, сообщали газеты, выглядят как влюбленные. «Мы писали весь этот вздор типа: «Они всегда будут жить счастливо», потому что хотели в это верить», — объясняют сегодня представители британской прессы. — Публика хотела в это верить. Если в газетах публиковать истории, которые никто и знать не хочет, тогда эти газеты перестают покупать. Итак, мы были очень осторожны в этих вещах».

Очень скоро Чарльз должен был понять, что Диана ищет пути для того, чтобы покончить с тяжелой для себя ситуацией. Она начала интересоваться другими мужчинами. Первым был Филип Дунне. На свадьбе маркиза фон Форцестера Диана танцевала только с Филипом. И как она ему улыбалась! Чарльз вышел из себя. Он, практически весь вечер проведший в разговоре с Камиллой, считал себя вправе возмутиться поведением жены.

Для принца, чье специфическое воспитание предполагало, что только ему дозволено все, поведение Дианы показалось открытым сопротивлением и даже доказательством супружеской неверности. Сам он мог вести себя так, как хотел, но неверная жена в его планах предусмотрена не была. Проверить свои подозрения Чарльз не дал себе труда. Принц, прихватив с собой Камиллу, отбывает в Бальморал. 37 дней оставался Чарльз в добровольном изгнании, все эти дни ни детей, ни жены он не видел. Британская пресса считала дни разлуки. На короткой официальной встрече, где принц снова увиделся с Дианой, его неприязнь к ней была очевидной.

У женщин своя логика, и Диане, по-видимому, такая реакция мужа понравилась и даже вдохновила предпринять атаку на соперницу. Под давлением подруги Диана как раз в это время обращается к врачу. Он помогает ей обуздать булимию, и леди Ди начинает медленно приходить в себя. Теперь у нее были силы открыто атаковать Камиллу.

Диана переходит в атаку

В начале 1989 года сестра Камиллы Аннабел Эллиот отмечала в поместье близ Ричмонда свое 40-летие. Чарльз и Диана были приглашены, но гости, не высказывая этого, конечно, вслух, были уверены, что принцесса Уэльская на этой вечеринке рядом с Камиллой даже и не покажется. Однако леди Ди поступила иначе.

Конечно, ей было это неприятно. Принцесса буквально заставила себя туда пойти. Это был один из ее самых смелых поступков, говорила позже Диана своему биографу Эндрю Мортону. Камиллу и Чарльза она обнаружила не сразу. Наконец в одной из комнат Диана наткнулась на эту парочку, углубленную в беседу с одним из гостей. Тот, сразу почувствовав взрывоопасность обстановки, предложил всем разойтись, но Диана настояла на разговоре с соперницей.

Произошел следующий диалог:

«Я сказала Камилле: «Сожалею, что я стою у вас на пути, это, по-видимому, для вас обоих сущий ад. Но я знаю, что происходит, так что не считайте меня идиоткой!»

Камилла возразила: «У тебя есть все, что душе угодно. В тебя влюблены все мужчины в мире. У тебя двое прекрасных детей. Что тебе еще нужно?»

Ответ принцессы Уэльской: «Мне нужен мой муж».

В этом диалоге, истинный смысл которого нужно искать между строк, Камилла напоминает сопернице, что весь мир лежит у ее ног и соревнование под названием «Прекраснейшая» Диана уже выиграла. Леди Ди настаивает, что ее муж должен принадлежать только ей. «Я знаю, что стою у вас на пути» означает: «Я знаю, что я нелюбима, вы меня мучаете, я — жертва». За этим следует угроза: «Я не идиотка!», что означает: «Вы должны со мной считаться, что я буду делать — это моя тайна, но я сумею себя защитить!»

То, что этот разговор неизбежно повлечет за собой новые серьезные ссоры Дианы с мужем, при такой тяжелой психической нагрузке на каждого из участников этой драмы, было очевидно. Война была объявлена. На войне как на войне. Без потерь не обходится, и тяжело было всем. Чарльз в начале 1990 года стоял на грани нервного срыва, состояние его обострилось после тяжелой травмы при игре в поло. Камилла была единственной, кто тогда его опекал, Диана находилась преимущественно в Лондоне. Она берет на себя проведение всех официальных встреч, и чем дальше отдаляется принцесса от мужа, тем больше она флиртует с прессой.

Популярность ее росла постоянно. Леди Ди научилась целенаправленно распределять свои появления на публике, делая так, чтобы как бы перечеркнуть появления Чарльза и вытеснить его с титульных страниц журналов и газет.

Диана не учла, что Виндзоры наблюдают за ее все возрастающим влиянием и совсем не в восторге от ее славы. В королевском дворце к ней относились все холоднее, принцесса чувствовала себя одинокой и изолированной от других.

То ли от одиночества, то ли из мести Диана искала кого-нибудь, кому можно было бы довериться. Взаимное расположение связало принцессу с майором Джеймсом Хевиттом, состоявшим на службе в Королевской лейб-гвардии. Хевитт был ее сверстником, у них было схожее чувство юмора. Офицер обворожил молодую женщину. Возможно, встречаясь с ним, она как бы хотела сказать своему мужу: «Что дозволено тебе, можно делать и мне». А может быть, Диана была и влюблена. Во всяком случае, принцесса почувствовала уверенность в себе.

Диана покупала Хевитту костюмы, рубашки и галстуки. Майор часто бывал у нее в Кенсингтонском дворце. На какое-то время они погрузились в мир фантазии, вместе листали страницы журнала «Жизнь в деревне», подыскивая себе сказочный домик. К сожалению, когда полк Хевитта перевели в Германию, все было кончено.

За Хевиттом последовал Джеймс Гильбей, торговец подержанными автомобилями. И Диана, и Джеймс любили балет. Джеймс, кроме того, был очень терпеливым слушателем, а женщине, как известно, всегда есть о чем поговорить. Принцесса в это время часто бывала в ресторане «Сан Лоренцо», владелицей которого была одна из ее ближайших подруг. И не раз в разгар этой связи подруга одалживала принцессе ключи от своей квартиры, находившейся за углом ресторана. Отношения с Гильбеем бесславно закончились, когда один из телефонных разговоров между влюбленными стал достоянием широкой публики.

Дневной свет разрушает колдовские чары

В начале 90-х годов Диана уже понимала, какой силой она обладает. Сильной женщине чувство такта уже ни к чему. И ей приходит на ум мысль публично обвинить мужа в неверности. Раз в неделю ко дворцу подъезжал на велосипеде элегантный господин. При господине всегда была с собой какая-то коробочка. А был он доверенным лицом Дианы, звали его доктор Джеймс Колтурет. Вначале никто не догадывался, в чем состояла его миссия. Он был тайным послом бульварного журналиста Эндрю Мортона. Именно Мортону Диана хотела поведать свою правдивую историю так, как она ей виделась.

Леди Ди записывала свой рассказ на пленку, полученную от Колтурета, а тот отвозил ее Мортону, будущему биографу принцессы. Перед публикой Чарльз и Диана еще играли роль пары, представляющей королевскую семью, находящуюся, так сказать, на службе ее королевского величества и действующую во славу монархии. Если уж эту пару не связывает большая любовь, то пусть хотя бы создают впечатление, что корона принадлежит семье с современным имиджем. Естественно, современный имидж не в последнюю очередь связывался со звездным образом Дианы. Принцессе же кажется, что ее эксплуатируют, и об этом она тоже хочет всем рассказать. Леди Ди сознательно пренебрегает правилами королевской игры и абсолютно открыто обнажает свои чувства.

В феврале 1992 года Чарльз и Диана отправились в Индию. Этот визит можно было бы назвать «пиаркатастрофой» и занести в британскую историю под названием «Тур страданий». Перед Тадж Махалом, самым большим символом любви на планете, принцесса фотографируется совсем одна, и королевский двор снова слишком поздно понимает, какого великолепного посла он имеет в ее лице. После игры в поло в одном из городов Индии Диана окончательно скомпрометировала мужа, открыв истинное положение вещей в их отношениях.

Когда принцесса передала Чарльзу кубок, все ждали привычного в таком случае поцелуя, и принц, собираясь ее поцеловать, уже вытянул губы. В это время Диана намеренно отворачивается, и Чарльз целует сережку. Для принца Уэльского это позор. Однако дальше было еще хуже.

Усердный доктор Колтурет предоставил Эндрю Мортону столько информации за эти «годы страданий», что тот мог издать целую книгу. Естественно, издал. (Надо заметить, что вначале источник попавших к Мортону фактов оставался неизвестным.) Уже предварительные публикации в «Санди Таймс» были подобны взрыву. В книге «Диана. Правдивая история» описывались подробности отношений Камиллы и Чарльза, булимия принцессы и ее многократные попытки самоубийства. Судя по книге, Диана была жертвой. О ее собственных связях с мужчинами не упоминалось ни слова.

Королевский дом в шоке. Но какой лакомый кусок, какая драгоценная находка для прессы!!!

Диана сначала не понимала, какую она вызвала лавину. Леди Ди «правдиво» рассказала публике о виновных в распаде ей брака и отомстила Камилле и Чарльзу. Все симпатии и сочувствие были на ее стороне. В день, когда в «Санди Таймс» появилась публикация, Диана посетила дом престарелых, где была встречена с колоссальным состраданием. Прием тронул принцессу до слез, и она решила, что риск себя оправдал.

Королевская розовая война

Итак, издание книги Эндрю Мортона стало катастрофой для королевской семьи. Довольно скоро стало ясно, что только Диана могла передать такую информацию, но она категорически и очень убедительно это отрицала. Насколько велика была в действительности доля ее участия в создании книги, была ли она сама прямым источником информации — все это поначалу оставалось в тени. Постепенно и Диана стала понимать, что допустила ошибку, перешагнув через все правила дворцового протокола.

«Never complain, never explain» (никогда не жалуйся, никогда не объясняй) — впервые за всю историю существования Виндзоров их девизом пренебрегли. Магия, исходившая от этой пары, окончательно рассеялась и никого больше не ослепляла. Фактическая роль Камиллы в жизни наследника трона была четко обрисована. Британская пресса жаждала узнать ее реакцию, и журналисты въезжают в квартиру рядом с домом Паркер-Боулзов. Дежурят день и ночь, чтобы только заполучить свежее фото Камиллы. Но и она, и ее публично увенчанный рогами муж предпочли не комментировать происшедшее.

Королева была не только глубоко озабочена тем, какое воздействие окажет книга на принцев Уильяма и Гарри, но и отчетливо представляла себе последствия публикования материала такого рода для монархии. Диана и Чарльз не только нанесли вред авторитету королевской семьи, они раскачали трон.

Даже архиепископ Кантерберийский чувствовал себя обязанным сделать серьезное предупреждение: «Сегодняшние спекуляции частными интимными интересами перешагнули все мыслимые границы в обществе, утверждающем, что здесь уважают права человека».

Но никто не знал, как разрешить проблему. Тем более что дальше было еще хуже. Сначала снизилась популярность Дианы, когда публично была озвучена запись ее любовного разговора с Джеймсом Гилби. Букингемский дворец мужественно пытался возвести бастион, чтобы противостоять и этим разоблачениям, уже давно превратившимся в грязную войну. Подлинность пленки опровергалась, однако никаких сомнений быть не могло. Это был не кто иной, как Диана, характеризовавшая своему телефонному собеседнику семью Виндзоров: «чертова семейка». Чаша была переполнена. На заседании в Букингемском дворце, связанном с кризисной ситуацией, Диане предложили раздельное проживание — это означало, что она должна вести жизнь вне королевской семьи.

9 декабря 1992 года Букингемский дворец известил, что «принц и принцесса решили жить раздельно. Их Королевские Высочества не собираются разводиться, и позиции, занимаемые ими согласно Конституции, остаются незыблемыми. Решение было принято с согласия двух сторон, и эта пара будет и в дальнейшем совместно заниматься воспитанием детей. Их Королевские Высочества будут также и дальше в полной мере соблюдать и осуществлять свои

официальные обязанности и, по возможности, принимать участие в семейных и национальных праздниках. Королева и принц Эдинбургский сожалеют об этом решении, однако отнеслись с пониманием и сочувствием к трудностям, приведшим к этому шагу. Ее Величество и его Королевское Высочество надеются, прежде всего, что вторжение в приватную сферу жизни принца и принцессы теперь уменьшится. Они считают, что определенная степень приватной сферы жизни и понимание необходимы для того, чтобы у их Королевских Высочеств и их детей был счастливый и надежный домашний очаг и чтобы в то же время они могли осуществлять в полной мере свои обязанности перед обществом».

Возникшая было надежда покончить с грязной розовой войной закончилась скоро и бесславно. Снова были преданы гласности выдержки из телефонных разговоров, открывавших интимнейшие подробности. Один из телефонных разговоров между Чарльзом и Камиллой шокировал весь мир. Принц Чарльз признавался, что хотел бы стать тампоном для того, чтобы быть ближе к своей любовнице.

И еще много, много чего можно было узнать об отношениях этой пары, слушая запись их телефонного разговора. Подробно обсуждалось, где и когда возможно следующее свидание. Можно было только догадываться, сколько ухищрений понадобилось, чтобы годами скрывать от публики их интимную связь. Но и нечто другое можно было почерпнуть из беседы любовников. Было понятно, что эти двое любят друг друга, как Камилла умеет поддержать и в какой степени умеет понять принца. «Твоя самая большая работа в том, чтобы любить меня», — сказал он в том же телефонном разговоре. Терпение, юмор, способность к сопереживанию были плюсом для Камиллы в борьбе за любимого. И вот этот разговор с «тампоном» стал известен. Камилла ужаснулась. Отныне она стала самой ненавистной женщиной в Британском королевстве. Мешками получала она ругательные письма, в магазине возмущенные женщины бросали в нее булочки. Казалось, из-под контроля вышло все. Монархия, политики и церковь — все были в волнении. О прессе и публике нечего и говорить!

Для Камиллы наступили самые страшные дни в ее жизни. Она стареет на глазах и теряет 12 кг веса.

И никто не знал, что будет дальше. Разговоры королевской семьи, очевидно, годами прослушивались. Никто не верил, что речь идет о любителе, случайно набредшем на след интимного разговора. Кто был задействован в афере с подслушиванием и сделал содержание разговора известным — неясно и поныне.

Последний бой

Чем большее давление оказывалось извне, тем сердечнее становились отношения Чарльза и Камиллы. Теперь она была его единственной опорой. Доверие нации принц утратил, и то и дело возникали дискуссии на тему о том, что трон, возможно, должен наследовать не он, а его старший сын Уильям. В течение года Камилла оставалась в тени, а в один прекрасный день появилась как раз в том месте, которое считалось епархией Дианы.

Камилла посетила известный в высоких кругах ресторан «Сан Лоренцо», где бывают многие ВИП-персоны. Это был тот самый ресторан, где во времена своей любовной связи с Джеймсом Гилби часто бывала Диана, встречая поддержку у владелицы ресторана. А теперь сюда является Камилла, и директриса приветствует ее самым сердечным образом.

Этим появлением Камилла как бы говорила: «Посмотрите, я еще существую и не сдалась». Впрочем, до ее реабилитации было еще далеко. Вначале ей надо было терпеть, когда ее поливали грязью.

Когда все преграды пали и о приличиях уже никто не думал, и для Дианы, и для Чарльза стало важно наступать и атаковать. Почин сделал принц Уэльский. С намерением как-то отполировать свой имидж он дает телевизионное интервью. Перед 17 миллионами зрителей Чарльз признается, что обманывал Диану с Камиллой Паркер-Боулз! Принц оправдывается тем, что нарушил супружескую верность только тогда, когда брак был уже практически разрушен.

Это признание окончательно прорвало плотину. Теперь и королевская обслуга не считает себя обязанной молчать. Неаппетитные тайны королевских покоев выдаются со всеми интимными подробностями. И снова весь гнев направлен на разлучницу Камиллу. Никто не дает себе труда задать простой вопрос: «А были бы Диана и Чарльз счастливы, не будь Камиллы вообще?»

Но принцесса Уэльская могла торжествовать, и ее ответ не заставил себя долго ждать. Уже в вечер выхода в эфир злополучного интервью Чарльза она устраивает великолепное шоу. В потрясающем, облегающем фигуру черном вечернем платье для коктейлей с глубоким вырезом, в прекрасном настроении демонстрирует Диана себя на публике. Все кинокамеры направлены на принцессу. И опять она дает ответ на вопрос: «Кто на свете всех красивей?» Без сомнения, Диана.

Биограф леди Ди Эндони Холден: «Я думаю, ей хотелось показать: «Видите, я не сижу дома, чтобы смотреть это телеинтервью. Из нас двоих я красивее и куда более знаменита. Заголовки газет будут кричать обо мне». Что ей и удалось в тот вечер доказать!

Но и принц «набирал очки». Обезоруживающая откровенность Чарльза действительно несколько отполировала его поблекший имидж. Хотя он и слукавил, утверждая, что стал изменять жене на поздней стадии развала брака. Поскольку проверить это было невозможно, то посчитали, что принц более или менее сносно вышел из положения и объяснил свою аферу. Грешник, полный раскаяния, был воспринят в народе вполне доброжелательно. Правда, никому и в голову не пришло задать ему сакраментальный вопрос, как же он в дальнейшем будет строить свои отношения с Камиллой. Тут подсуетился премьер-министр Джон Мэйджор и, заглядывая в далекое будущее, успокоил королевский дом. Мэйджор объяснил, что развод и новый брак принца Чарльза не окажут на наследование трона никакого влияния.

Зато интервью принца и позднее изданная книга оказали влияние на брак Паркер-Боулзов. Больше невозможно было терпеть это унизительное положение. Эндрю Паркер-Боулз не хочет больше выступать в роли рогоносца и подает на развод. 14 декабря 1994 года возбуждается дело о разводе. Адвокаты стараются при этом дать такое объяснение, чтобы обойтись малой кровью и хоть как-то пощадить честь супругов.

Сообщение о разводе гласило:

«Решение о разводе принято нами совместно и является нашим абсолютно личным делом. Так как мы все же не рассчитываем, что в нашу частную сферу жизни не будут вторгаться, мы публикуем этот документ и надеемся, что в будущем нашим близким и друзьям не будут причинять беспокойство. Прежде всего, мы просим о том, чтобы наших детей, которых мы очень любим и за которых несем ответственность, оставили в покое для того, чтобы они, в это трудное для них время, могли продолжать учебу. Интересы в нашем браке были различными постоянно, а в последние годы мы вели раздельный образ жизни. Мы были в такой степени далеки друг от друга, что, кроме наших детей и нашей дружбы, нас уже мало что связывает, и мы приняли решение о разводе».

Позади остался 21 год жизни в браке. Теперь Камилла была свободна. Для Чарльза? Земля полнится слухами, и мыльная опера продолжается. Диана решает еще раз перед всеми продемонстрировать, что она еще тут. Втайне принцесса планировала собственную публичную исповедь. Она договаривается с репортером Би-би-си, что в его авторитетной программе «Панорама» даст интервью. Одно только ее появление на экране уже вызвало шок. Тоненькая, с широко распахнутыми глазами и опущенной головой, ожидала леди Ди якобы неожиданных вопросов репортера. Глаза Дианы обрамляла широкая черная полоска, ее взгляд говорил больше, чем когда-либо: «Я — жертва!»

А то, что она сказала в интервью, в очередной раз пошатнуло основы монархии. «Нас было трое в этом браке. Немного тесновато, не правда ли?» — сообщила Диана всему миру. О том, что в браке присутствовал, бывало, и четвертый, принцесса не сказала ни слова. Далее следовала атака на Чарльза. Он, по мнению Дианы, совсем не способен быть королем, у него просто отсутствуют человеческие качества, необходимые для этого. Не может он исполнять «работу монарха», и все тут!

Снова гнев публики направлен на принца Чарльза. 70 процентов британцев верят после ее интервью, что Диана — жертва Виндзоров, и считают, что Чарльз один в ответе за развал брака. Это должно, разумеется, срочно быть оспорено друзьями принца. Николас Сомс, внук У. Черчилля, спешит высказать несколько соображений о психическом состоянии принцессы. В конце концов он заявляет, что леди Ди страдает паранойей в прогрессирующей форме.

Ну, теперь Виндзоры находились там, где актеры мыльной оперы чувствовали себя особенно комфортно. Наконец каждый мог обсуждать грязное белье другого, все то, что ранее скрывалось за толстыми стенами дворца. Королеву это совсем не забавляло. Она хватается за перо и пишет сыну и невестке письмо, приказывая разводиться. Будущее Дианы поставлено на карту. По королевским законам она не имеет никакого права настаивать на дальнейшем участии в воспитании наследников трона. Да и о материальном положении после развода леди Ди надо было подумать.

Снова она использует свое любимое оружие и публикует, не открывая своего авторства, заявление:

«Принцесса Уэльская согласна на развод с принцем Чарльзом. Принцесса будет и в будущем принимать участие во всем, что касается ее детей, и останется в Кенсингтонском дворце. Принцесса Уэльская сохранит свой титул и будет зваться Диана, принцесса Уэльская».

Королевский дворец трясет, следуют жесткие переговоры, которые в конце концов в августе 1996 года приводят к разводу. Диана получила 17 миллионов фунтов и осталась членом королевской семьи, потеряв все же титул «королевское высочество».

Жизнь потом....

Диана потеряла больше, чем только титул. Она не находилась отныне под защитой Королевского дома. Ее ближайшее окружние было весьма пестрым: аристократы, писатели, целители, специалисты в области новейшей косметологии. Ее неотразимое воздействие на мужчин еще более усилилось, статус культовой фигуры был несокрушим. После одиннадцати лет брака и открытой розовой войны леди Ди была испытанным бойцом и не желала уходить за кулисы. Если уж нет любви, как она ее себе представляла, то пусть ее заменит удовлетворение от общественной деятльности.

Начав жить отдельно от Чарльза, Диана посвятила себя работе в различных благотворительных организациях. К концу ее брака она занимала 120 больших и малых постов. В конце концов леди Ди от большинства из них отказалась, нуждаясь в отдыхе. И когда календарь ее официальных встреч несколько опустел, она выбрала для себя дорогу в мир богатых и красивых. Жизнь в этом кругу предполагает, разумеется, и здоровье. Диана ищет свое спасение, пробуя различные методы лечения, в том числе альтернативную медицину. При полной неразберихе в своей личной жизни она думает, что когда-нибудь сможет сама давать советы другим, тем, кого считает несчастными. Даже бывший американский госсекретарь Генри Киссинджер не остался в этом смысле обделенным ее вниманием.

И внешне Диане хотелось выглядеть безупречно. Чтобы быть в хорошей форме, принцесса регулярно посещает занятия фитнесом в эксклюзивном клубе. Пресса по-прежнему освещает каждый ее шаг, и леди Ди хочет предстать перед камерами в наилучшем виде. Однако, расставшись с Чарльзом, она вдруг почувствовала себя еще более одинокой, чем когда-либо. Ночи напролет бродила Диана по улицам Кенсингтона, часто загримированная, в парике, чтобы не быть узнанной.

В 1995 году она знакомится с кардиохирургом Хазнатом Каном и влюбляется в него. В угоду Кану Диана читает Коран и посещает вместе с ним его родину — Пакистан. В Пакистан леди Ди едет под видом того, что хочет посетить онкобольницу. На самом же деле Диана хочет показать своему новому любовнику Кану и его семье, насколько тесно она чувствует себя связанной с их культурой.

Диана все еще была председателем нескольких благотворительных обществ. Но у друзей складывалось впечатление, что со временем ей стало труднее работать, да и сама принцесса становилась все более непредсказуемой. Когда наконец было объявлено о разводе с принцем Чарльзом, она почувствовала себя абсолютным аутсайдером, и сотрудники видели ее явную растерянность и страх. В газетах теперь писали, что она хочет выйти замуж за Хазната Кана, но… Но тот отрицал их связь и в конце концов перестал с ней встречаться.

Новое разочарование в любви для Дианы! Ей было 36 лет. Мужчины, с которыми она была знакома, не могли ей предложить надежную пристань, о которой она, как и прежде, мечтала. И цели в жизни у нее теперь тоже не было.

В этой ситуации Диана получает одно приглашение. Мохаммед Аль-Файед, владелец лондонского торгового дома высшего класса «Харродз», предлагает ей свою виллу в Сан-Тропе, чтобы она могла там провести с детьми летний отдых. У Аль-Файеда было все, что не зазорно было предложить принцессе: личные яхты, виллы, самолеты. И весьма интересный сын Эмад, или просто Доди. Доди пользовался репутацией плейбоя и был продюсером нескольких художественных фильмов. В газетах появились первые фотографии Дианы и Доди — провокация для королевского дома.

Отец Доди, египтянин Мохаммед Аль-Файед, был яркой личностью. Сын учителя, он родился в Александрии и прошел путь от продавца кока-колы до советника султана. Сделав карьеру, он в начале 70-х годов переезжает в Лондон, где жаждет получить английское гражданство. В этом ему постоянно отказывают, слишком непрозрачен его бизнес. Когда Аль-Файед-старший в 1985 году стал во главе традиционного торгового дома «Харродз», путь в британское общество для него все равно оставался закрытым. Даже его грандиозная финансовая поддержка социальных проектов не могла смягчить власти. В результате британского паспорта у Аль-Файеда не было. Вблизи принцессы Уэльской летом 1997 года все его надежды возродились вновь. А Диане было безразлично, какой у него паспорт. Она наслаждалась ухаживаниями Аль-Файеда-младшего. Еще раз дает леди Ди повод для газетных сенсаций.

Камиллу тем временем делают покровительницей «Общества по лечению остеопороза», свита принца прикладывает все усилия, чтобы, опозоренная некогда Дианой (принцесса называла Камиллу Ротвейлером[1]), та обрела хоть какой-то позитивный имидж. Чарльз добивается, чтобы 50-летие Камиллы отмечалось на высоком уровне, и она с гордостью демонстрировала на приеме новые украшения. Что ж, Камилла прокладывала себе путь в королевский дворец. Только папарацци это трогало мало: Диана осталась для них, безусловно, более ценной добычей. Доди пригласил ее в Южную Францию, на свою яхту. Позднее газетные репортеры вспоминали, что леди Ди каждый день сознательно предоставляла им возможность себя фотографировать — с ее новой любовью и всяческими обновками. Шикарные бикини и купальные костюмы, которые ее соперница никогда не сможет надеть, Диана демонстрировала ежедневно и всякий раз становилась номером один на заглавных страницах журналов и газет.

Если даже Камилле и удавалось быть упомянутой в прессе, то это были последние страницы. Диана вела с соперницей своего рода дуэль на расстоянии. Дуэль эта, как известно, завершилась трагически. В конце безмятежного отдыха-люкс Диана и ее любовник погибают в парижском туннеле. Пытаясь отделаться от надоедливых папарацци, пьяный водитель ударил лимузин о столб.

---

[1] Ротвейлер — порода бойцовских собак.

Королева Камилла?

Смерть Дианы вызвала шок во всем мире. Трауру по «принцессе сердец», казалось, не будет конца. Всем неприятным моментам королевской розовой войны коллективное сознание уже не придавало значения. Диану — английскую розу — поклонники прославляли как святую. И в последний раз, казалось, она одержала победу. Когда принц Чарльз во Франции забирал гроб с телом Дианы, он знал, что его бывшая жена надевает оковы на его будущее. Теперь он был привязан к своей роли: скорбящие сыновья нуждались в отце. О нормализации отношений с Камиллой многие годы нечего было и думать. Принц снова стоял на грани нервного срыва и много времени проводил со своей бабушкой — королевой-матерью. Вот только ее представления о морали соответствовали другому веку, и она бы никогда не одобрила женитьбы принца Уэльского на разведенной женщине.

После смерти королевы-матери Чарльз все-таки пытается что-то предпринять. Снова и снова присутствует его любовница на официальных приемах. Правда, не рядом с принцем, но в его свите. Чарльз хотел, чтобы люди привыкли к ее существованию. Но снова и снова эти попытки наталкиваются на неприятие. Когда стало известно, на какие затраты идет принц, чтобы обеспечить Камилле жизнь по самому высокому классу, газеты захлебнулись от возмущения. Шофер, телохранитель, конюхи, домработницы — все оплачивалось из бюджета наследника трона.

И все еще угрожающе лежала длинная тень Дианы над новым счастьем принца, с гламуром мертвой принцессы Камилле нечего было и равняться. Понадобилось много времени, чтобы Камилла нашла свой стиль, и здесь не в последнюю очередь ее поддержал знаменитый своими шляпами лондонский дизайнер Филипп Трэси. Принц Чарльз выкупил несколько драгоценностей из тех, что его прадедушка Эдуард VIII дарил своей любовнице Алисе Кеппел, прабабушке Камиллы.

Это была только внешняя сторона. Их любовь претерпела столько бурь, что в 2003 году Чарльз счел наконец уместным коснуться темы женитьбы. Между тем и англиканская церковь убрала с пути очень тяжелое препятствие. Новый архиепископ Кантерберийский относился теперь к браку между разведенными иначе.

Но должно было пройти еще долгих два года, прежде чем эта самая нерушимая пара любовников всех времен и народов смогла объявить о свадьбе. 9 апреля 2005 года Чарльз и Камилла наконец поженились. Миссис Паркер-Боулз стала теперь Ее Королевским Высочеством, герцогиней Корнуольской. Если Чарльз взойдет когда-нибудь на британский трон, Камилла станет не королевой, а королевой Consort — супругой короля.

Интервью с Томом Левинэ

Том Левинэ (ТЛ) — биограф Виндзоров, автор книги «Виндзоры».
Интервью берет Ульрика Грюневальд (УГ).

УГ: Когда Чарльз и Камилла в 1970 году познакомились, существовала ли для них какая-то возможность пожениться?

ТЛ: Я думаю, нет. Она была женщина с прошлым, имела связи с другими мужчинами. Это было немыслимо для будущей королевы, и Чарльз знал об этом. Его крестный дядя лорд Монтбаттен ему сказал прямо: «Ты можешь порезвиться, но потом должен будешь искать девственницу, на которой женишься, и она станет принцессой Уэльской». При этом закон о престолонаследии играл не такую уж важную роль. При дворе тогда гораздо больше опасались, что на женщину с амурным прошлым набросится пресса, кроме того, ее друзья могли бы рассказать что-то такое, что могло бы навредить королевскому дому.

УГ: Хотела ли Камилла действительно выйти замуж за Чарльза?

ТЛ: Это неясно. Некоторые считают, что Камилла ни в коем случае не хотела стать принцессой Уэльской и однозначно сказала об этом Чарльзу. Ходят слухи, что в 1972 году он сделал ей предложение, и я считаю это вполне вероятным. Она ответила ему тогда отказом и посоветовала для женитьбы найти другую женщину.

С другой стороны, у Камиллы есть друзья, утверждающие, что она всегда хотела выйти замуж за принца. Она же происходит из семьи, в которой пределом мечтаний для женщины является найти мужа из хорошей семьи, а затем быть хорошей хозяйкой и матерью. А выйти замуж за будущего короля — это все равно что выиграть самый крупный приз в лотерею.

УГ: Итак, следовательно, брак между Дианой и Чарльзом был ангажирован. Рассматривались кандидатуры нескольких невест. Как именно это происходило?

ТЛ: Да. Брак был ангажирован, иначе и быть не могло. Так не бывает, чтобы принц Уэльский встретил после обеда в забегаловке какую-нибудь молодую женщину и спокойно мог бы с ней флиртовать. Нет, он не может появляться с ней на людях или проводить отпуск без того, чтобы это не взбудоражило мировую прессу и, соответственно, не вызвало скандал. Познакомиться с женщиной, почувствовать к ней расположение, полюбить ее — в его положении такой возможности не существует. То же самое правило распространяется и на невесту. Если я познакомилась с принцем Уэльским, произнесла перед алтарем «да», то я знаю, что я вышла замуж как бы за всю систему и быть женой отныне моя профессия.

УГ: Могла ли Диана себе это ясно представить?

ТЛ: Она знала, о чем шла речь. Она же принадлежала к семье, которая уже побывала под соответствующим пристальным вниманием — ее сестра Сара в 1977 году в течение полугода была в связи с принцем Уэльским. Так что и Диана понимала, при каких условиях возможно быть рядом с принцем. Но то, что она в свои 18 лет представляла это в полной мере, я бы все-таки подверг сомнению. И какую именно роль играет и будет играть в жизни Чарльза другая женщина, с уверенностью она знать не могла.

УГ: И не было никого, кто бы мог Диану предостеречь?

ТЛ: Я думаю, нет. Люди, знавшие историю Чарльза и Камиллы, благоразумно о ней умалчивали. И не в последнюю очередь потому что надеялись: когда принц женится, отношения его с Камиллой постепенно охладеют. Те же, кто был в доверительных отношениях с Дианой, ничего о Камилле не знали. В то время общественности о ней вообще ничего не было известно.

УГ: Единственным человеком, посвященным во все дела Чарльза, была Камилла. Принимала ли она участие в смотре и выборе невесты для него?

ТЛ: Насколько я знаю, она, во всяком случае, не была главной в этом процессе. Не она составляла список молодых девушек, которые могли бы рассматриваться в качестве невест. Этим занимались другие. Правда, Чарльз советовался с ней и рассказывал о впечатлении, которое произвела на него та или иная девушка. А затем девушка была представлена в кругу друзей Камиллы — в этом не было ничего особенно подозрительного, и Камилла каждый раз выносила свой приговор.

УГ: Как оценила Камилла Диану?

ТЛ: Я думаю, она ее недооценила. Она ожидала, что Диана будет безупречной женой, очень любящей своего мужа, у них будут дети, но потом принцесса посвятит себя какому-нибудь хобби, а Чарльз вернется к прежней жизни. То, что Диана найдет свой собственный стиль и что отношения будут развиваться столь драматично, Камилла и предполагать не могла.

УГ: Первая сцена ревности вспыхнула сразу после свадьбы. Проблемы начались практически с того момента, как пара сошла с алтаря. Каким оружием пользовалась Диана с борьбе с соперницей?

ТЛ: Диана узнала о существовании Камиллы непосредственно перед свадьбой. Это ее потрясло. Оказывается, у принца есть кто-то, кто ему ближе, чем Диана. Можно понять страх молодой девушки: она должна войти в королевский дом, и единственный человек, который мог бы стать ей опорой, ее будущий муж, как оказалось, ведет двойную игру. Сказать правду, Диана реагировала довольно истерически. Она рыдала, она бранилась, затем остывала. Она нападала на него вначале без свидетелей, за закрытой дверью. Но весьма скоро стала очень агрессивной.

УГ: Но как же реагировал Чарльз на эти атаки?

ТЛ: Беспомощно. Все отрицал и уединялся. Потом, по-видимому, сделал попытку как-то дистанцироваться от Камиллы. Если верить рассказам близких друзей Камиллы, то между ней и принцем были периоды охлаждения. Они не виделись друг с другом, хотя и разговаривали по телефону.

УГ: А как Чарльз воспринимал дальнейшие театральные выпады Дианы?

ТЛ: Как угрозу всему тому, на что он возлагал надежды. Внешне семья, из которой происходит Чарльз, выглядит вполне благополучной, но эмоционального тепла в ней не так уж много. Так что семейство Виндзоров вряд ли могло служить для него в этом отношении примером. И тем более хотелось Чарльзу иметь гармоничную семью, жить одной жизнью с женой и детьми. Когда такая возможность буквально сразу стала проблематичной, он был, ествественно, озабочен. Но принимать соответствующие меры было не в натуре Чарльза, ему это несвойственно.

УГ: Потом Диане приходилось бороться с болезнями. Она сама рассказывала о приступах булимии. Была ли способна принцесса, страдая таким заболеванием, вообще воспринимать любовь и расположение к себе? Если бы Чарльз любил ее больше, то?..

ТЛ: Булимия — это же очень сложное заболевание. Не существует простого пути решить эту проблему и помочь больному. Я думаю, что Диана была предрасположена к этому заболеванию. Страх перед свадьбой, ревность — все это послужило только поводом к тому, чтобы болезнь проявилась, но отношение Чарльза к Диане из-за этого мало изменилось. Чарльза можно упрекать во многом: он изолировался от нее, он делал неверные выводы из ее поведения. Но в то, что он мог бы препятствовать болезни Дианы, если бы любил ее больше, в это я не верю.

УГ: Как себя держала Камилла в ходе соперничества?

ТЛ: Есть различные мнения о том, когда Камилла снова выступила на сцену. Ее друзья утверждают, что она на четыре или пять лет изолировалась от Чарльза. Друзья же Дианы считают, что на самом деле Камилла никогда по-настоящему не уходила из жизни Чарльза. Я думаю, едва ли что-то изменялось в поведении Камиллы по отношению к Чарльзу. Она думала о нем всегда. Если ему хотелось немного тепла, уюта, Камилла была всегда тут как тут. Если он проводил где-нибудь у друзей в деревне ночь, Камилла приезжала туда тоже. У нее же было молчаливое соглашение с ее мужем. Камилла не предъявляла Чарльзу никаких требований — в полную противоположность Диане. Диана требовала немедленных доказательств любви и хотела, чтобы Чарльз раз и навсегда отказался от той, другой.

В сущности, со стороны Камиллы это была очень умная стратегия, так как она много больше соответствовала натуре Чарльза. Он же, если можно так выразиться, избалованный мальчишка. Не признает никаких требований и людей, которые ему противоречат.

УГ: Поступки Камиллы происходят из свойств ее характера или это хитрый расчет?

ТЛ: Я думаю, что расчет тут свою роль играл. Друзья не зря называли Камиллу «Зубастая». Так называют человека, который делает все, что хочет. Камилла чрезвычайно сильная личность.

Камилла знала, что может удержать Чарльза только в том случае, если не будет выставлять никаких претензий и будет его надежным тылом. Но и здесь не только холодный расчет, по моему мнению. В ее поступках много от нее самой. Она, например, действительно интересовалась его деловой жизнью и прочитывала его речи.

УГ: То, о чем мы с вами говорили, было тогда вообще неизвестно публике. Для широкой общественности выставлялась совершенно иная картина.

ТЛ: Надо отдавать себе отчет в том, что британский королевский дом функционирует как мыльная опера. Каждому члену королевской семьи назначена своя определенная роль. Пресса это распределение ролей поддерживает, а члены Королевской семьи более или менее свои роли стараются исполнять. После фантастической свадьбы Чарльз и Диана были фантастической семьей: он менял пеленки, она любила детей. Соответственно и друг с другом эти двое, естественно, обращались исключительно нежно. Идеальную картинку счастливого брака, выставленного напоказ, журналисты ни в коем случае не должны были оспаривать, потому что публика жаждала именно этого. Людям так хотелось думать, что во дворце живут красивой, святой жизнью. Именно это еще и сегодня придает монархии прелесть, она нам кажется такой блестящей и красивой, такой мирной и святой.

УГ: Если проводить параллели с мыльной оперой и дальше, то можно заметить еще одно сходство.

В мыльной опере благополучный ход событий круто обрывается. То же случилось и у Виндзоров.

ТЛ: Да. В этом жанре негатив идет по нарастающей: внезапно, после благостной картины, все рушится, да так, что спасти уже ничего нельзя. И любое движение Чарльза или Дианы теперь интерпретируется как свидетельство ссоры и даже войны между ними. Если у Дианы скучающий вид, журналисты трактуют это так, что рядом стоит ее муж, вызывающий у принцессы злость. Одновременно волновалась и публика, ведь на ее глазах рушился целый мир.

УГ: То, что произошло потом, по крайней мере, в королевских домах не происходило никогда: открытое поливание грязью с двух сторон. Как это в конце концов случилось, что все преграды были сметены?

ТЛ: Здесь существует две причины. Во-первых, не было никакой альтернативной платформы, где он и она могли бы обсудить свои конфликты. В королевской семье это было невозможно, на подобные темы было наложено табу. И не было никого, кому бы доверяли обе стороны. Во-вторых, двор не счел нужным предоставить Диане человека, который мог бы дать ей совет или притормозить неприятные события. Поэтому все протекало бесконтрольно. Королева тогда ужаснулась, она видела, как вредит монархии то, что супружеская война вынесена на обсуждение общественности. Но и своего сына она не могла больше остановить, в то время он не слушал ничьих советов.

УГ: Диане тогда тоже досталось. Некоторые даже пытались обвинить ее в том, что у нее паранойя и она вообще опасная женщина. Стала ли она действительно опасной?

ТЛ: Нет, понятие «опасная» я считаю в этом отношении преувеличением. Это была исключительно популярная женщина, превосходно умевшая своей популярностью пользоваться. Если она за что-то бралась, то могла сделать очень и очень многое. Вспомним, например, хотя бы проблему СПИДа, в те годы Диана отдавала ей много сил. Но, занимаясь благотворительностью, помогая другим, принцесса, в сущности, сама была очень больна и сама нуждалась в помощи. Этого забывать не следует. Она перепробовала множество лекарств и методов лечения, в том числе, вероятно, и взаимоисключающих. Бывало, что она почти панически искала выхода из своего одиночества, отчаяния, психических проблем.

УГ: А Камилла? Была ли она при всех взлетах и падениях стабильной личностью?

ТЛ: В том-то и заключалась для Чарльза вся прелесть Камиллы, что она все время твердо стояла на земле, так сказать, двумя ногами. Была практична и прагматична. Образно говоря, если ты голоден, то эта женщина жарит тебе картошку, а потом может составить тебе компанию и ездить верхом на лошади. А если тебе вдруг это расхотелось, с ее стороны не будет высказано ни малейшего неудовольствия. Она все больше и больше сохраняла для принца тыл, и он наслаждался этим. Потому-то он и был ей так благодарен и не рвал с ней. И чем дольше длилась эта история, тем маловероятней было, что Чарльз откажется от Камиллы.

УГ: Тип женщины, описанный сейчас вами, женщины, сохраняющей тыл, не соответствует современному образу. Может ли Камилла, несмотря на это, считаться образцом того, как надо бороться за мужчину?

ТЛ: Я думаю, не стоит ее недооценивать. Она не домовой на печи и не маленький бравый солдатик рядом с великим принцем, который всем руководит. Будущему королю требуется кто-то, кто в частной жизни будет с ним находиться на одном уровне, но публично выставлять себя перед главным действующим лицом не станет. Это же была проблема Дианы, она была популярнее мужа. Может ли Камилла служить примером для обычных женщин? А кто вообще может быть примером в королевском доме?

УГ: В разгар розовой войны Камилла была «государственным врагом № 1». Ее забрасывали булочками, ее бранили, ругательные письма она получала мешками. Какой имидж у нее сегодня?

ТЛ: Ее уважают. Не любят, а именно уважают. Это результат большой, искусной пиар-кампании. Благодаря этому удалось очень осторожно после гибели Дианы в 1997 году снова ввести ее в общество. Смерть Дианы была, конечно, высшей точкой, по мнению общественности, соприкасавшейся с интересами Камиллы. Соприкасавшейся даже больше, чем в 1992 году, когда на свет вышла правда о взаимоотношениях Камиллы с принцем. Свадьба и титул «герцогиня Корнуольская» предписывают ей играть новую роль в мыльной опере. И сейчас она исполняет эту работу так, как и ожидалось: тихо, относительно тактично, без негативных моментов. Однако не думаю, что когда-нибудь в Англии у нее будет много приверженцев. Диану заменить она не может, но у нее и нет таких претензий.

УГ: Как видится вам Диана сегодня? Ведь после ее гибели, в Англии прежде всего, прокатилась своего рода волна массовой истерии.

ТЛ: Диане суждено было пройти различные фазы: от сказочной принцессы до оскорбленной и обманутой жертвы, вызывающей сочувствие. Потом она заботилась о других людях, которые страдали, и была почти возведена в ранг святой. После ее смерти люди печалились не только о ней самой, но и о себе. Диана была частью их жизни, частью их биографии. Сегодня, когда Диана уже не присутствует в буднях каждого из них, люди дистанцировались от нее в какой-то мере. Есть много таких, у которых национальный взрыв чувств в 1997 году сегодня вызывает неловкость — эта неделя, когда все устремились в цветочные магазины для того, чтобы возложить перед дворцом букеты.

УГ: Можно ли сказать, что Диана и Камилла вели борьбу за Чарльза на равных?

ТЛ: Нет, так сказать нельзя. У Камиллы всегда были лучшие шансы. Она была первой, и она была надежной пристанью для Чарльза. Только в том случае, если бы он влюбился в Диану, значение Камиллы могло бы уменьшиться. В этом как раз и состоял коллективный план: все короли до него, будь то Эдуард VIII, Георг V или Георг VI, вначале женились и только потом влюблялись. Если бы Камилла в 1972 году сказала «да», английский королевский двор избежал бы тридцати лет хаоса. Одно-единственное решение могло бы изменить ход истории.

СОРЕЙЯ И ФАРА ДИБА

Цюрих. Аэропорт. 1967 год. Намечается судьбоносная встреча. Две дамы в норковых шубах случайно встретились в зале ожидания. Принцесса Сорейя Эсфандияр-Бахтияр и Фара Диба, шахиня Ирана. Обе женщины поразительно красивы, элегантно одеты и любят одного и того же мужчину. Шах Мохаммед Реза Пехлеви, властитель иранского трона, завоевал любовь двух прекрасных женщин. Это из-за него Сорейя и Фара Диба стали соперницами. Шах отверг одну для того, чтобы другая родила ему наследника.

И вот теперь нечаянная встреча, описанная репортером немецкой бульварной газеты: «Только 20 метров отделяют Сорейю от шахини. Шахиня в темно-коричневой норковой шубке и такой же шапочке, коротенькой юбке и в туфлях на высоком каблуке. Сорейя тоже в темной норке!.. Историческая встреча произошла случайно, и вот — экс-шахиня и шахиня Ирана в одном помещении! За этой встречей скрывается человеческая драма: встретились две женщины, которые любят одного и того же мужчину. Одна из них может торжествовать — это Фара. Она сидит здесь со своими детьми, своей (символической) короной и своей любовью. А другая, принцесса Сорейя, — со своим одиночеством и разбитым сердцем. Как больно ей, наверное, было поймать на себе взгляд сына соперницы! Ведь своих детей у нее не было. Фара смело смотрит в глаза своей предшественницы, своей сопернице. Она смотрит в глаза женщине, которая восемь лет означала для шаха все. Красавец-шах любил эту женщину, как теперь любит ее, Фару. И только из-за одного, печального для Сорейи обстоятельства, Фара стала супругой шаха. Сорейя не могла иметь детей, а шаху нужен был наследник».

Была ли такая встреча на самом деле, или это только плод фантазии журналиста, неизвестно. Но история так хороша, что если бы ее и не было, ее стоило бы выдумать. А человеческая драма действительно существовала и волновала людей целых два десятилетия.

Сказка из «Тысячи и одной ночи»

Любовная история Сорейи берет начало в 1950 году в Лондоне. Красивая молодая девушка, дочь берлинки и персидского дипломата, приезжает на берега Темзы для совершенствования английского языка. За окном уже видны первые предзнаменования осени с ее печальной погодой. Сорейя жила в самом центре Лондона в Сент-Джеймском парке. Она была здесь не одна, тут же ее тетя и три кузена. Один из юношей был заядлым фотографом и не раз упрашивал кузину попозировать ему в качестве модели. Он мог фотографировать ее бесконечно, лукавя при этом, что предыдущие фотографии не получились. Сорейя сдавалась на его просьбы попозировать не без колебаний. Молоденькая девушка была сдержанной и застенчивой, ей как раз исполнилось тогда 16 лет. Сорейя мечтала о карьере актрисы, не подозревая, что скоро выйдет на сцену, но только не на театральную, а на мировую, политическую. А пока она иногда весело проводила время со своими кузенами, происходившими из благородных персидских семей. Сорейя не подумала ничего особенного, когда однажды ее пригласили на ужин в иранское посольство. Ужин давали в честь принцессы Шамс, старшей сестры иранского шаха. «Я была не особенно удивлена, — писала впоследствии в своих воспоминаниях Сорейя, — разве пс принадлсжала моя семья к самым почитаемым во всей Персии? И хотя большой симпатии к династии Пехлеви, всегда преследовавшей семью Бахтияров, я пс испытывала, возможность познакомиться с принцессой Шамс, слывшей обаятельной и умной женщиной, привлекла меня».

После первой встречи принцесса Шамс уже не расставалась с Сорейей. Молодые дамы вместе едут в Париж, чтобы обновить гардероб. Часами проводят они время у великих кутюрье, отдавая, впрочем, предпочтение Диору. От образа скромной школьницы Сорейя вынуждена была отказаться и постепенно стала догадываться, что все это затеяно не зря, здесь прсследуется высокая цель. Шах Ирана захотел познакомиться с этим красивым, юным созданием, увидев ее фото!

Одна из фотографий, сделанных кузеном Сорейи, попала в руки матери шаха, как раз собиравшейся найти для него новую невесту. Шах был совсем недавно разведен, первая его жена Фазция — сестра короля Египта — оставила его. В этом браке родилась дочь. Но шаху нужен был наследник мужского пола.

Между троном
и деревенской нищетой

Иран пятидесятых годов: в стране около 20 миллионов жителей. Три четверти населения страны занимаются сельским хозяйством, остальное население сконцентрировалось в городах, наибольший из которых Тегеран, в нем проживает более одного миллиона жителей.

Что касается политической ситуации, то Реза-шах Пехлеви уже в начале своего правления, длившегося с 1925 по 1941 год, старался по примеру Ататюрка в Турции освободить Иран от зависимости церкви и модернизировать страну. Страну аграрную следовало превратить в индустриальную.

После его свержения, в 1941 году, правление страной принимает сын. Ножницы между бедностью и богатством стали при Мохаммеде Реза Пехлеви еще больше. С одной стороны, чиновники и все те, кто наживался на нефти. Это были группы, ориентированные на Запад. С другой — сельское население, простые рабочие, кочевники, придерживающиеся исламских и персидских традиций.

Бедность ощущалась во всем. Смертность от инфекционных заболеваний была очень высокой. Большое количество безграмотных, особенно среди сельского населения.

Роскошь и блеск, царившие во дворце шаха, освещали далеко не все уголки страны. Те, кто имел отношение к нефти, благоденствовали, но их было меньшинство.

А теперь шах выбрал фото Сорейи из целого ряда фотографий. Адъютант шаха вспоминает: «Обычно шах четыре раза в неделю приходил к матери на чай и дважды на обед. При этом она показывала сыну фотографии женщин и обсуждала их с ним. Когда шах увидел фото этой молодой леди Сорейи, он сказал: «Я хочу вот эту». Совсем как маленький мальчик. «Я знаю, она мне подойдет».

А Сорейя думала, как замечательно было бы выйти замуж за настоящего короля. Это затмевало даже ее юношеские мечты, в которых она видела себя королевой экрана. Ей льстило и внимание сестры шаха, заботившейся о ней. Юной красавице казалось, что она перенеслась в сказку «Тысяча и одной ночи». Однако сестра шаха Шамс преследовала и собственные цели: для нее было важно укрепить свое положение в семье. Первая жена шаха ей, по-видимому, не очень нравилась, и теперь ей хотелось, чтобы со второй женой у нее сложились более теплые отношения.

Первая жена шаха, как рассказывала Сорейе Шамс, оказывала предпочтение другой сестре, а не ей. А с сестрой надо держать ухо востро, так как она очень тщеславна, продолжала поучать Сорейю Шамс. Между прочим, сестра тоже старалась испортить отношения шаха с первой женой. Интриги, интриги...

Так что Шамс многое ставила на карту в этой игре. Она пробовала с помощью новой невесты брата вытеснить нелюбимую сестру. Шах, как стало известно Сорейе со слов той же Шамс, прост и справедлив, но боится своей матери. Мать же прежде всего желает одного: рождения наследника. Все эти интриги не испугали Сорейю. А что касается будущего мужа, который был более чем на десять лет старше ее, то она видела его только издалека.

«Когда я была маленькой, шах означал для меня голубой самолет в небе над Исфаханом. «Смотри, смотри, — кричали взволнованно подружки, теребя меня за плечи. — Это летит наш король!» Прищуренными глазами я обыскивала горизонт. С шахом связывала я также праздник — его свадьба с принцессой Фавзией, город был тогда освещен, и моя няня держала меня на руках, фейерверк, радостная толпа, приветствующая новобрачных... И конечно, барашек, которого по этому случаю зарезали».

Сорейя хорошо помнила кинофильм об этой свадьбе, показанный тогда в кинотеатрах. Зрителей восхитил длинный свадебный кортеж и целый вагон подарков, привезенных принцессой из Египта. Теперь она сама должна была выступить в главной роли фильма о следующей свадьбе. Настало время познакомиться с будущим мужем.

Счастливое детство

Детство Сорейи прошло среди двух культур. Она родилась в 1932 году (или в 1934, по другим сведениям) в персидском городе Исфахане. Ее отец, Халил Эсфандияр-Бахтияр, родом происходил из могущественной семьи потомственных князей Бахтияров — кочевников. Ее мать, Ева Карл, была немкой. Ева познакомилась с Халилом в Берлине, когда тот проходил там учебу. Оба были очень молоды, ей было 16, ему — 22 года. В те времена персу было негоже жениться на европейке. Но Халил боролся за свою любовь, и в конце концов они поженились. Халил завершил учебу, и молодая пара уехала в Персию, в город Исфахан. Там и родилась Сорейя.

Это были беспокойные годы. В Персии шла междоусобная война. Шах Реза Пехлеви, отец будущего мужа Сорейи, с помощью англичан взошел на трон, свергнув династию правивших до него Кадияров. Теперь надо было свою власть укреплять, семьи из провинций, принадлежавшие к определенному роду, должны были жестоко порабощаться. Род Бахтияров, из которых происходила семья Халила Эсфандияра, контролировал большую часть нефтяного бизнеса Персии и был в числе преследуемых новым правителем.

Ева была несчастлива в Исфахане и вскоре вернулась с дочкой в Берлин. Отец последовал за ними. Очень скоро молодая семья смогла убедиться, что у персидского шаха длинные руки.

Шах нашел путь отстранить Бахтияров от нефтяного бизнеса. Он заключает новый договор с англо-персидской нефтяной компанией и за незначительную сумму выкупает долю Бахтияров. В результате Халил лишился всех доходов и был вынужден покинуть Берлин. Он возвращается с Евой и Сорейей в Исфахан в 1937 году.

Несмотря на все неприятности, маленькая Сорейя (а имя ее означает «семь звезд») прожила в Персии счастливые годы.

«Маленькая Сорейя была знаменитым ребенком в Исфахане, потому что была очень хорошенькой. В ней была смесь крови Бахтияров с кровью немецкой. Немцы пользовались в нашей стране большой популярностью и симпатией, — вспоминает адъютант шаха. — Это была неуправляемая, очень подвижная и живая девочка».

Исфахан был миром, полным сказок и восточных тайн, в котором дети чувствовали себя маленькими королями и королевами. Если бы только не строгое воспитание в английской миссионерской школе, а позже в иранской.

«В тринадцать лет: иранская школа, серая униформа, занятия, домашние занятия, зубрежка до обморока, никаких праздников, никакого кино, никакого свободного времени. Учение, домашние задания, занятия, весной — экзамены. В классе висит портрет шаха Мохаммеда Реза Пехлеви и его супруги Фавзии, сестры короля Египта. Мои подруги утверждают, что я на нее похожа. Я ничего не имею против. Она прекрасна. Жалко, что она не вышла замуж за Кларка Гейбла из фильма «Унесенные ветром».

Закончилась Вторая мировая война, и семья Сорейи переезжает в Швейцарию, в Цюрих. Ее следующая школа — это очень строгий пансионат для девушек. «Школьницы... приехали со всех концов света: из Италии, Индонезии, Южной Америки, Греции, Испании... Как и я, они здесь для того, чтобы потом стать дамами общества, совершенными женами. Нас учат хорошим манерам, а также танцевать и готовить. Все вместе мы ходим на лыжах. Мы беседуем о живописи, литературе, искусстве. Мы сравниваем обычаи наших стран, дискутируем о политике и теологии — и одновременно завиваем себе локоны. Мы соответствуем той жизни, для которой нас готовят наши родители». Сорейя знала, как отец представлял себе ее будущее. Мечты дочери о карьере актрисы он считал вздором. Она должна выйти замуж, сделать хорошую партию. Молодой, знатный мужчина из Персии пришелся бы отцу по душе.

Спрячь свои волосы,
а то попадешь в ад

И Фара Диба, которая позже сменит Сорейю на троне, вспоминает о счастливом детстве в Иране. Она родилась в 1938 году и жила с родителями, дядей и тетей в доме на севере Ирана. В доме было спокойно, несмотря на беспокойство, царящее за решеткой сада. Девочке не разрешалось выходить за ворота, родители дрожали над своим единственным чадом и боялись, как бы чего-нибудь не случилось.

Фара вспоминает: «В хорошую погоду улица кишела детьми, которым там играть разрешалось. Мы болтали с ними. В то время средством передвижения были повозки, запряженные лошадьми, — только немногие могли себе позволить тогда автомобили — и я знала, что любимой игрой детей было прицепиться сзади к повозке и таким образом прокатиться. Это приводило нас в восторг, тем более что пешеходы предупреждали кучера, их выразительная мимика как бы говорила: «У тебя за спиной кто-то сидит!» — и кучер прогонял «зайца» кнутом. От этого у нас захватывало дух».

Отец Фары был выходцем из уважаемой азербайджанской семьи дипломатов, школу он посещал в Санкт-Петербурге. В 1917 году во время революции он бежал от большевиков во Францию, там продолжил учебу. В конце концов возвратился в Иран. В Иране он служил в армии шаха. Для семьи Фары шах был героем, свергнувшим с трона Кадияров.

Несмотря на раннюю смерть отца, Фара росла хорошенькой, веселой девочкой. С матерью она посетила святые города Ирана и еще долго потом вспоминала о страшной встрече с одним муллой. «Так как мои волосы были непокрыты, мулла злобно призвал меня к порядку: «Спрячь свои волосы, а то попадёшь в ад!» Никогда не забуду ужас, который внушил мне этот нетерпимый мулла. Такой же ужас пробудит во мне снова, 34 года спустя, Айятолла Хомейни».

Не только глубоко религиозный мулла и ему подобные внушали Фаре страх. Как и ее родители, она не любила коммунистов, выступающих против шаха. И наконец, в Иране были еще и иностранные армии. Во время Второй мировой войны Иран был оккупирован советскими и британскими войсками. В 1941 году шах Реза Пехлеви, переименовавший Персию в Иран, был вынужден уйти в отставку.

Иран означает «страна арийцев», и симпатии шаха к нацистской Германии стоили ему трона. Сэр Деннис Райт, британский дипломат в Иране, вспоминает: «Мы считали, что старый шах, Реза Пехлеви, слишком дружелюбен к немцам... В 1941 году, когда Гитлер напал на Советский Союз, мы, англичане, совместно с русскими решили, что его дальнейшее пребывание у власти нежелательно. Проблема была в выборе кандидатуры следующего правителя... Одно время Министерство иностранных дел предполагало, что это будет один из представителей старой династии Кадияров. Но подходящей кандидатуры так и не нашли, тогда было решено, что на трон взойдет молодой шах, которому к тому времени исполнился 21 год».

Итак, Мохаммед Реза вслед за своим отцом взошел на трон, символ власти страны, украшенный золотом и 26 733 драгоценными камнями.

Мохаммед Реза-шах Пехлеви, восходя на трон 17 сентября 1941 года, был молодым, сдержанным человеком, мечтавшим модернизировать Иран, преобразовать его из развивающейся страны в мощную промышленную и военную державу.

Фара Диба была восьмилетней девочкой, когда увидела впервые человека, которому позже станет третьей женой.

«Это был знаменательный день. Когда мы узнали, что шах на обратном пути из Азербайджана должен будет проезжать через Тегеран, мы все выбежали на улицу, чтобы приветствовать его. Весь город был на ногах. Шах должен был проезжать по улице, ответвлявшейся от нашей. На перекрестке стоял гараж, и мы на него вскарабкались. Людей было очень много, они кричали и аплодировали. Наконец он появился, и это было потрясающим впечатлением для ребенка восьми лет, каким я тогда была».

Это было в 1946 году, а через четыре с половиной года, Фаре было тогда как раз двенадцать лет, Тегерану предстояло отпраздновать гораздо более грандиозное событие.

Сказочная свадьба в королевском дворце

Принцесса Шамс, сестра Мохаммеда Реза Пехлеви, добилась своей цели. Сорейя клюнула и была готова лететь с ней в Тегеран, где она должна была быть представлена шаху. Но вначале они посетили Рим, в программе снова стояли покупки. Туфли от Гуччи на Виа ди Кондотти, костюмы от Пуччи. Потом, наконец, Тегеран. Там снова командовала Шамс: драгоценности, парфюмерия, косметика — все должно быть доведено до совершенства для первой встречи Сорейи с шахом Ирана. События следовали одно за другим, уже было получено приглашение от матери шаха на ужин. Матери не терпелось посмотреть на молодую девушку, которую она знала только по фотографиям.

Объятия, пустые вежливые фразы — Сорейя была представлена семье шаха. Она знакомится также с другой сестрой шаха, Асхраф (Асхраф и шах — близнецы), о которой так много рассказывала Шамс. Тут объявляют о приходе шаха.

«Все встали со своих стульев. Передо мной стоит шах в генеральской униформе иранской армии. Он производит на меня сильное впечатление, я нахожу, что он великолепен и неотразим. Я им всецело очарована. Он просто ослепителен… Да, для меня это была любовь с первого взгляда», — признается в дальнейшем Сорейя.

И вот перед шахом стоит та, чья фотография так пленила его. Он изучает ее тонкие черты лица, в котором преобладают глаза, большой чувственный рот. Она улыбается, но вместе с тем в ее лице проглядывает то, что можно было бы заметить при ближайшем рассмотрении: необъяснимая печаль во взгляде.

«Она была необычайно привлекательна, — рассказывала Хаиде Хаким, придворная дама Сорейи. — Она была высокой, что ему очень нравилось. Кроме того, он видел в ней молодую девушку, получившую хорошее образование, владеющую иностранными языками. Современная девушка, и в то же время из рода Бахтияров. Иметь с ней детей было для него исключительно важно. Это гарантировало бы ему поддержку всего рода. В этом и заключалась скрытая идея: жениться на девушке знатного рода и чувствовать за собой поддержку».

Уже на следующий день Сорейя должна была принять решение. Шах хотел объявить о своей помолвке с ней как можно скорее. Сорейя сказала «да». «На следующее утро мое фото появилось во всех газетах. По радио было объявлено, что послезавтра состоится помолвка. Мне было 16 лет. 16 лет превратили в 18, чтобы разница в возрасте не так сильно бросалась в глаза. События следовали одно за другим и вихрем уносили меня за собой».

Свадьба должна была состояться 27 декабря. Шах торопился. В стране было неспокойно, и ему срочно нужен был наследник, чтобы укрепить свои права на трон. А Сорейя заболела, у нее высокая температура, галлюцинации. Личный врач шаха ставит диагноз: тяжелая форма тифа. Ей предписана строжайшая диета и абсолютный покой для того, чтобы в кратчайшие сроки восстановить здоровье. Время поджимало. Приближался Рамадан, и в этот, святой для мусульман период свадьба была невозможна. И вот все тревожатся о юной невесте, чья жизнь, возможно, в опасности.

«Шах так любил Сорейю, что у него выступали на глазах слезы, когда он посещал ее, — рассказывает адъютант шаха. — Он был в своем дворце, Сорейя находилась от него примерно на расстоянии километра, и он навещал ее часто. Шах был в отчаянии. Доходило до того, что он плакал и падал в обморок».

А по Тегерану ползли слухи. Асхраф, сестра шаха, якобы виновата в болезни Сорейи. Она заразила ее еду бактериями сальмонеллы. Была ли автором этих слухов Шамс, желавшая выставить сестру в невыгодном для той свете?

Сорейя ужаснулась этой абсурдной версии. А борьба между двумя принцессами за ее благосклонность становилась все интенсивнее: «Обе утомляли меня, их ревность утомляла меня: «Дорогая Сорейя, я вынуждена констатировать, что сегодня после обеда Вы беседовали с Асхраф дольше, чем со мной». — «Моя дорогая Сорейя, Шамс не должна Вас так часто беспокоить».

Доктор дежурил возле меня и установил твердое время для посещений. Стремление обеих дам завоевать мое расположение с помощью подарков, будь то брошка, духи, цветы или фрукты, веселило его. Они спорили о том, кто поднесет мне во время еды ложку ко рту. Такая вот дуэль с ударами сбоку».

Сорейя была слабой и исхудавшей, но ее желание выйти замуж за шаха было несокрушимым. И уже фактически перед Рамаданом она была на пути к выздоровлению. Весила теперь Сорейя только 40 килограммов, вдвое больше, чем ее свадебное платье. Это дорогостоящее платье, украшенное вышивкой, было сшито из тюля и парчи, огромный шлейф был изготовлен из 900 000 золотых зернышек, 20 000 перьев марабу и 6000 бриллиантов.

Принцесса Шамс заказала этот наряд в Париже у Кристиана Диора.

12 февраля 1951 года в Тегеране состоялась церемония венчания. Холод пронизывал высокие помещения дворца, когда красивая, но слабая после болезни

невеста хотела направиться в зеркальный зал. Но не тут-то было. Шлейф ее сказочного платья был слишком тяжелым для маленьких подружек невесты, они не могли поднять его с пола. На помощь поспешили придворные дамы. Орхидеи, вишневый цвет и сирень распространяли терпкий запах. От жара, исходящего от каминов, у Сорейи на лбу выступили бусинки пота. Она собрала все свои силы, чтобы здесь, сейчас не потерять сознание перед собравшимися гостями.

«Тут ко мне подошел Мохаммед Реза. На нем была темная униформа, украшенная золотом и серебром. Обшитые галуном рукава и пояс, мишура на его эполетах, лента — знак королевского отличия, — перекинутая через плечо, — все это сверкало. Он берет меня за руку, подводит к дивану и передает мне в качестве символического дара хрустальную вазу с сахарной пудрой. В тот же самый момент королева-мать сыплет нам сахар на голову. Таким сладким должен быть наш союз. «Ваши мысли должны быть из сахара». Со всех сторон вспыхивает свет кино- и фотокамер — настоящий фейерверк».

Шах поддерживает невесту, которая еле держится на ногах. В конце концов кому-то приходит на ум мудрая мысль — коротко обрезать тяжелый шлейф. Так и сделали, и Сорейе стало легче двигаться. А как быстро произнесла она свое «да!».

Ее кузина вспоминает: «Моя мама объяснила ей, что в Иране существует обычай произносить «да» только с третьего раза, когда даешь согласие на брак. Она же произнесла свое «да» с первого раза».

И с этим «да» Сорейя становится женой шаха и королевой Ирана.

Посмотри, это Фара

А Фара росла интеллигентной и красивой девочкой. Она посещала школу Жанны д'Арк, где, как и раньше, когда здесь училась мама Фары, занятия проводили монахини. В школе была даже женская баскетбольная команда, что для Ирана того времени было прогрессом.

Одна из учительниц вспоминает о Фаре как об энергичном, счастливом ребенке, очень предприимчивом, несмотря на некоторую робость. Не прошло и года, как она поступила в школу, а уже была капитаном школьной баскетбольной команды.

«Я старалась быть простой и естественной, не любила жеманства, сплетни пропускала мимо ушей, так что я дружила почти со всеми девочками. А если одна со мной и поссорится, я не расстраивалась. Я знала, что она подуется, а потом сама придет ко мне опять. Будучи во главе баскетболисток школы Жанны д'Арк, я скоро заметила, что стала героиней — своего рода примером для девочек моего возраста. Играя против других школьных команд, мы постоянно одерживали победу и, таким образом, через несколько месяцев стали чемпионками Тегерана. Несколько газет опубликовали фотографии нашей команды, и я заметила, что дети показывают на меня пальцем и говорят своим родителям: «Посмотри, это Фара».

Будущая королева, еще не подозревая о том, какая судьба ее ожидает, целеустремленно развивала в себе качества характера, которые она впоследствии должна будет проявить. Фара была упорной и тщеславной спортсменкой, побеждая и в национальных соревнованиях по легкой атлетике. Среди ее трофеев были две медали с изображением шаха и шахини. Мать Фары, одна воспитывавшая дочку, очень старалась во всем поддерживать девочку, но и требовала от нее многого. Учителя Фары описывают ее как тонко чувствующую, сдержанную и умную. Те качества, что несколько лет спустя привлекут шаха.

А в Иране в то время не было и речи о стабильной монархии. Премьер-министр Мохаммед Моссадек, чудаковатый, но уважаемый в народе политик, объявил войну британскому господству в иранской нефтеиндустрии. Британская компания «Бритиш Петролиум», доминировавшая в нефтяном бизнесе Ирана, отказывалась делить свои прибыли с государством. В ответ на это Моссадек решил национализировать полезные ископаемые страны. Англия моментально отреагировала и заморозила весь нефтяной экспорт Ирана. Последовавший в результате кризис экономики парализовал страну, и шах занял позицию, противоположную позиции своего премьер-министра.

Решение Моссадека обсуждали буквально в каждой семье, и Фара Диба впервые узнала, что такое политическая неразбериха. До этого ее детство было вполне безоблачным. «Дискуссии проходили во всех классах школы Жанны д'Арк, дети повторяли то, что слышали от своих родителей. Дискутировали дети очень эмоционально, но так как мы были еще не в состоянии приводить политические аргументы, то если принимали того или иного политика, это было просто потому, что он нам нравился. Я не понимала, как можно быть против нашего молодого шаха, чей чуткий и в то же время внимательный взгляд так меня трогал».

Однако шах решился выступить против премьер-министра, исключительно популярного в народе, без колебаний. «Старый лев», как называли премьер-министра, вполне сознавал свою власть и даже позволял себе вести переговоры в пижаме. Компромиссное предложение шаха принять во внимание торговое соглашение с США Моссадек отклонил. Для многих иранцев премьер-министр стал национальным героем. Но напряженность и беспокойство в народной среде все возрастали. Наконец шах принял решение покинуть свою страну.

Фара Диба вспоминает: «Три дня Иран трясло от беспокойства. Коммунисты, приверженцы Моссадека и даже религиозные деятели заполнили улицы лозунгами, полными ненависти к шаху. Шах же перед тем, как покинуть Иран, назначил премьер-министром вместо Мохаммеда Моссадека другого… Его отъезд из страны вместе с женой Сорейей поверг меня, как и многих иранцев, в отчаяние».

Три дня шах с Сорейей оставались в Риме. Наконец военным удалось с помощью США свергнуть Моссадека, он был арестован. Шах возвратился, но его жизнь омрачал уже следующий кризис.

Несчастье пустой колыбели

Сорейя снова дома. Сейчас она занята оборудованием виллы, где они живут с шахом. Дворец с его троном служит только для репрезентаций. Но и личные покои, по воле молодой шахини, должны выглядеть привлекательно. Свежевыкрашенные стены, салон в стиле Людовика XVI. Только один предмет мебели остается неиспользованным: колыбель для наследника трона.

Сорейя начинает ощущать на себе давление: «Я знаю, что он хочет от меня ребенка, ребенка, который однажды унаследует его трон; ребенка, в котором я отказала шаху в первый год нашей жизни, потому что была слишком больна, слишком больна и молода. А во второй год меня слишком взволновали события с Моссадеком... Мать шаха не отступает и снова и снова задает один и тот же вопрос: «Ну, когда же Вы думаете подарить моему сыну мальчика?»

Сорейя была красивее, чем когда-либо, и она умела скрывать свою печаль. По желанию шаха она начинает заниматься благотворительностью. Еще долгие годы она будет вспоминать посещение сиротского дома — этих несчастных и грязных детей, их беспомощное существование среди болезней и нужды. Молодая шахиня пытается раздобыть деньги в благотворительном женском обществе Тегерана, что ей в конце концов удается, но это была капля в море. Несмотря на отчаянное положение в экономике страны, шах хочет провести роскошную церемонию коронации. Он должен будет короноваться вместе с женой, чтобы упрочить свои притязания на трон. Вместе с Сорейей они посещают иранский Центральный банк для того, чтобы выбрать украшения для короны. Она увидела настоящее сокровище: горы изумрудов, рубинов, жемчуга, сапфиров, аквамаринов и один из знаменитейших бриллиантов, Дарий-и-Нур — солитер, весящий 126 карат, в оправе из 475 бриллиантов.

По преданию, солитер этот был добычей Надир-шаха. Он привез его вместе с другими драгоценностями из Индии, где одержал свои победы. Вначале у Надир-шаха этого прославленного в сказаниях камня не было, но, согласно легенде, он добыл его, пустив в ход свою хитрость. Устроив встречу с побежденным королем Индии, Надир-шах по-дружески попросил его в знак доверия снять тюрбан, то же самое сделал и победитель. Как и предполагал Надир-шах, из тюрбана индуса выпал и покатился по полу вожделенный камень. Надир-шах без объяснений и извинений поднял его и взял себе. И это было еще не все. В жены он хотел взять дочь побежденного короля Индии. Тут несчастный побежденный закричал, разрыдавшись: «Бери все, только оставь мне мою дочь!»

Было так на самом деле или это была только сказка из «Тысячи и одной ночи»? Как о сказке мечтали много столетий спустя немецкие журналисты о коронации «своей» шахини Сорейи.

Газета «Вохенэнд» писала в 1955 году: «Впервые в жизни ислама будет коронована женщина, она будет называться «Король всех королей», и это будет — Сорейя! Тегеран и весь Восток готовятся к «коронации столетий», так как — это говорят эксперты — никогда еще не было такой всеми любимой королевской пары. В короне шахини Сорейи будет и бриллиант, который слывет «королем среди королей драгоценных камней», это знаменитый на весь Восток Дарий-и-Нур, этот «свет морей». Тот, кому посчастливилось хоть один только раз взглянуть на его таинственный огонь, завораживавший людей уже 5000 лет тому назад, ощущал «вечное блаженство»... Дарий-и-Нур является роскошным экземпляром персидского королевства. Теперь же, по воле шаха нынешнего, Дарий-и-Нур будет украшать корону Сорейи».

Но и «король всех королей» не может делать с этой драгоценностью все, что захочет. Она принадлежит не лично шаху и шахине, а иранскому правительству и служит поручительством для имеющихся в обращении банкнот. По настоянию Сорейи обработать несколько драгоценностей, являющихся государственным имуществом, и изготовить из них корону было поручено знаменитому нью-йоркскому ювелиру Гарри Уинстону. Сорейе было не суждено ее надеть никогда.

Вначале шах, из-за все усиливающейся тяжелой экономической обстановки в стране, все-таки отказывается от роскошной церемонии коронации, тем самым проявляя тонкость чувств, впоследствии им утерянную. Сорейя осталась некоронованной.

«Так же, как и я во время моего бракосочетания надела на себя драгоценности первой жены шаха, лишившейся трона, так же и Фара Диба позже должна была носить драгоценности Сорейи Пехлеви, урожденной Эсфандияр, той маленькой, молоденькой женщины, что так гордилась принадлежностью к роду Бахтияров и которая точно так же скоро должна была лишиться трона».

Между тем бездетность Сорейи вызывала озабоченность и сочувствие в Германии. Со времени свадьбы королевскую чету всегда в Германии принимали с энтузиазмом. Сорейя была как-никак дочерью немки — а в те бедные годы после войны в молодой республике было не так-то много поводов для мечтаний. Как же это было заманчиво: заглянуть в персидский дворец, где правит настоящий шах, а его красавица жена гордо демонстрирует свои сверкающие драгоценности.

Политическая борьба за нефть и власть казалась тогда скорее второстепенным вопросом. Читательниц, а может быть, и читателей пестрых страниц прессы гораздо больше интересовала личная жизнь шаха и шахини. Читающая публика ожидала, что наконец и в жизни все будет, как в сказке «Тысяча и одна ночь», и шахиня подарит шаху наследника.

«Если колыбель остается пустой, муж и жена остаются одинокими, это правило распространяется и на бедную лачугу, и на княжеский замок. Ничто не может сравниться с радостью родителей при рождении ребенка... Немецкая овчарка Зита, одна из любимых собак шаха, поднимает голову, когда в комнату входит главный врач. Умное животное, наверно, чувствует, что доктор приносит не только хорошие новости?» (газета «Вохенэнд», 1958 г.).

Такие сообщения читали миллионы женщин, которые теперь понимали, что у красивой, избалованной, знатной женщины могут быть точно такие же заботы, что и у них или у их соседей. Следовательно, не было никаких оснований завидовать шахине! Возможно, в этом было даже что-то от удовлетворения.

А Сорейя и вправду была несчастлива. Как птичка в клетке, она начала скучать. Молодая женщина любила танцевать, любила кино, от нее же теперь требовалось только поддерживать беседу с членами королевской семьи.

Придворная дама Сорейи вспоминает: «Сорейя совершенно не интересовалась политикой. Она никогда о ней не говорила. Все ей было неинтересно. Были ли это беспорядки в стране или уход премьер-министра — все это не занимало ее внимания. Она была фактически абсолютно отрезана от иранской политики».

Свекрови Сорейи кажется, и она отмечает это со все возрастающим неудовольствием, что Сорейя уклоняется от общения с ней. Сорейя возражает, что это не так. Как следствие, часами ведутся долгие разговоры за чаепитием, устраиваемым матерью шаха для своего доверенного кружка.

«В глазах свекрови я иногда читаю ненависть ко мне. Как будто ее огорчает, что я единственная женщина ее сына. Она привыкла к жизни в гареме. Ей это нравится, и она хорошо себя чувствует в этой женской вселенной. Если даже официально у них нет никаких прав, женщинам удается насаждать свою волю — всеми мыслимыми хитростями и трюками... Скука, одиночество. Уже теперь. И постоянно ощущаю на себе взгляды принцесс Шамс и Асраф, этих двух сестер, ненавидящих друг друга. Первая борется за мою дружбу, вторая хочет меня вытеснить».

Жизнь Сорейи все более и более становится непохожей на сказку «Тысяча и одна ночь», о которой она так мечтала. Ей хотелось предаваться своим интересам: кататься на коньках, смотреть фильмы, скакать верхом. Но нет. А давление на нее со всех сторон все возрастало.

«Это было, как некогда разразившаяся над ней гроза, — вспоминает ее придворная дама. — Она ничего не говорила вслух, но в ее улыбке скрывалась печаль. Все ожидали от нее рождения наследника. И правительство, и придворные. Я вспоминаю даже одну пожилую даму, прямо сказавшую шаху, что у него должен быть ребенок для его собственного счастья и счастья всей страны».

Вскоре в Иране стали распространяться слухи о предстоящем разводе шаха. В декабре 1954 года шах и шахиня посетили США, пробыв там два месяца, побывали они и в Англии. И он, и она ходили по разным врачам, выясняя причину бездетности. Сопровождавший эту пару в поездке адъютант шаха вспоминает, что врачи предлагали Сорейе сделать операцию, которая увеличила бы ее шансы забеременеть. Сорейя от операции отказалась.

Во время путешествия, которое было приятным уже хотя бы потому, что пара не страдала от дворцовых интриг и давления извне, было немало привлекательных моментов. Шах и шахиня встречались не только со знаменитыми личностями, такими, как, например, сэр Уинстон Черчилль или английская королева, но и такими, которые только впоследствии обрели свое место в мировой истории.

«Однажды, после обеда, в салон, хромая, вошел молодой человек. Мы как раз пили чай. Он представился как Джон Кеннеди. Тогда он был еще молодым сенатором, отдыхавшим в Палм Бич после операции на позвоночнике. Отсюда и палочка... Уже в тот же вечер мы ужинали с ним и с его молодой женой Жаклин Кеннеди. Она была восхитительна и в высшей степени занимательна, рассказывая нам о Франции в те времена, когда она еще звалась просто Жаклин Бувье!»

Милости просим в Германию!

И вот шах и шахиня прибывают в Германию. Гамбург нарядно украшен, перед отелем «Атлантик» королевскую чету нетерпеливо ожидают толпы людей, не испугавшихся снега и холода. Люди так хотели посмотреть на нее вблизи, полюбоваться «своей» шахиней, так уважаемой в Германии. «Сорейя, Сорейя!» — скандировала толпа, и она наконец показывается в окне своего номера-люкс.

Люди в неописуемом восторге. В руках у шахини букет из красных и белых цветов. Она обрывает с цветов лепестки и бросает их в ликующую толпу. Скоро от букета ничего не остается, а люди продолжают скандировать ее имя.

Тогда произошла одна трогательная сцена, так описанная журналистами: «Одного букета не хватает, даже если он очень большой и сделан специально для шахини. И тогда шах опустошает все вазы в номере и подает ей цветы, так чтобы она могла и дальше осыпать цветами людей, стоящих перед отелем «Атлантик».

Для немцев, которые еще до сих пор ждали возвращения последних военнопленных из Советского Союза, визит «их» Сорейи был еще одним шагом к нормализации обстановки после войны. Это было как луч света в серых буднях восстановления разрушенной Германии, сознание того, что сказка из «Тысячи и одной ночи» может осуществиться.

А вот как описывает этот эпизод сама Сорейя: «Я отодвигаю занавеску и приветствую из окна толпу. «Сорейя! Сорейя!» — кричат люди. Я глубоко растрогана. Когда я отошла от окна, шах грубо накричал на меня... Я удивленно смотрела на него: губы его сжаты, взгляд хмурый. Он зол на меня. Кто я такая, что мне устроили овацию? Это же он шахин-шах!»

Шахиня описывает феномен, который три десятилетия спустя наследнику британского трона принцу Чарльзу тоже доставил немало неприятностей. Как трудно было ему сознавать, что люди, обожествляя его красавицу-жену, принцессу Диану, отодвигают его самого на задний план.

Татьяна, княгиня фон Меттерних, имела возможность близко наблюдать эту пару. Ее муж Пауль учился в школе вместе с шахом. Позже они не теряли друг друга из вида. Теперь, будучи с визитом в Германии, шах и шахиня посетили замок Меттерниха.

Вот что пишет княгиня: «С большим антуражем, окруженный большим количеством полицейских автомобилей, прибыл к нам шах, сопровождаемый своей второй женой Сорейей, ее родителями и ее братом. Несмотря на то что правитель Ирана был небольшого роста и менее заметен, чем некоторые из сопровождавших его лиц, не могло возникнуть никакого сомнения в отношении того, кто именно из этих мужчин шах. Серьезные темные глаза под густыми бровями, выразительные черты лица. Нежная, редкая улыбка. Его сдержанность, даже робость, естественное достоинство и глубокий спокойный голос были исключительно импозантны и располагали к себе. Простота в общении и открытость также были чрезвычайно приятны».

Разговор велся в непринужденной атмосфере. Мужчины говорили о мотоспорте — их общей страсти. С молодой шахиней графине было труднее: «Я старалась найти тему разговора с Сорейей. Слава богу, догадалась заговорить о собаках. Шахиня была внучкой Зарда Ассарда, главы кочевавшего и беспокойного рода Бахтияров. Связать шахскую семью с этим родом было мудрым политическим шагом. Но кроме этого шах казался безумно влюбленным в эту красавицу. Они обменивались взглядами, полными любовного значения и понимания. Как было радостно сознавать, что он наконец нашел свое счастье», — пишет княгиня Татьяна.

Где бы ни появлялась в Германии эта пара, их восторженно приветствовали. Уставшая Сорейя наконец возвращается в Тегеран, но нельзя сказать, чтобы там страстно ожидали встречи с ней.

Журналисты писали тогда: «Красавицу Сорейю, любимицу всего мира, в Иране не любят. Не только дворцовая камарилья настроена по отношению к ней враждебно. Масса людей, в большинстве своем еще являющихся приверженцами Моссадека, терпеть не могут шахиню. И правду сказать: Сорейя ослепительно красива, но она не излучает тепла».

Шахиня постепенно стала догадываться, что ее место на троне находится под угрозой. Она чувствовала неприязнь окружения во дворце и знала, что не все амулеты и подарки, которые ей передавали, пойдут ей на благо. К тому времени шах и шахиня уже знали, что никакой надежды на появление наследника нет. Обследования в США показали, что матка у молодой женщины не больше, чем у десятилетнего ребенка. Придворная дама Сорейи слышала это от врача. Итак, нужно было искать другие пути, чтобы обеспечить династии наследника трона.

По иранским законам у шаха было право взять себе «побочную» жену, зачать с ней ребенка, а потом отдать его Сорейе на воспитание. Эту возможность Сорейя отклоняет, но ничего не предлагает взамен для решения проблемы. А шах, как говорили, во-первых, очень любил Сорейю и не мог заставить ее пойти на этот шаг, во-вторых, ему хотелось слыть на Западе современным, прогрессивным правителем — и тут гарем был совсем неуместен.

Гарем

Гарем — нечто между фантазией и действительностью. Если опрашивать европейцев и просить их описать жизнь в гареме, как они себе ее представляют, то скорее всего они нарисуют такую картину: что-то подобное тюрьме, наполненной красавицами, и весь смысл их существования состоит только в том, чтобы всегда служить своему господину.

Насколько же эта картина поверхностна, заимствована из сказок и едва ли дает истинное представление об этом райском, прелестном уголке.

По-арабски понятие «гарем» означает «освященное, защищенное и запретное место». Гарем может находиться как в частных, предусмотренных для семьи, помещениях состоятельных восточных домов (в отличие от помещений для приема гостей), так и в женских покоях, рядом с восточными дворцами времен султана. В женских покоях царит строгая иерархия, так как во главе «вертикали власти» стоит не султан, а его мать. Ее власть неограничена и служит общим интересам гарема. Все другие женщины подчиняются одна другой и в борьбе за титул фаворитки не чураются даже того, чтобы умертвить соперницу.

Каждая из этих женщин хочет родить повелителю первого сына, так как только это дает ей право в один прекрасный день стать правительницей в гареме в качестве матери правителя. Гарем был, следовательно, в первую очередь строго организованной социальной структурой, а не рассадником греха. Фантазию стороннего наблюдателя, конечно, не в последнюю очередь окрылит тот факт, что многие женщины только дважды за всю свою жизнь покидают гарем — во время их свадьбы и после их смерти.

В гареме находились состоятельные мусульманки. Бедные женщины этой, сомнительной на взгляд современного человека, привилегии были лишены. Обязанности мужчины в полигамном браке диктовались мусульманским законом — шариатом. Коран ограничивал количество жен до четырех, и мужчина был обязан одинаково заботиться обо всех женах.

Культура гарема сохранялась до начала двадцатого столетия, а в некоторых консервативных кругах арабских государств существует и до сих пор. Но сегодня, правда, в исламском мире правилом является моногамия.

«Сорейя хочет принести себя в жертву» — кричали заголовки газет в Германии. «Сорейя нужна шаху, так как он сделал вывод из своего первого брака, что не всякая молодая женщина намерена приносить себя ему в жертву... В отличие от своей предшественницы... Сорейя чувствует себя, как подтверждают все ее изображения, товарищем, всегда готовым прийти на помощь шаху, склонному от природы к меланхолии. Тип женщины, который олицетворяет собой Сорейя, создан для любви, брака, материнства. В ее гладком лице, в больших глазах, больших чувственных губах внимательный наблюдатель заметит темперамент, идущий от чувств. Такие женщины по своему существу склонны во всем сообразовываться с желаниями мужчины» (газета «Вохенэнд», 1957 г.).

И страницы бульварной прессы продолжали захлестывать умозрительные рассуждения. Сорейя, королева немецких сердец, теперь была объявлена жертвой всей нации. Беременность означала бы для нее верную смерть, было высказано и такое предположение. Словно этими статьями хотели убедить шаха ради любви пожертвовать троном и смириться с бездетностью Сорейи.

Но шах считал иначе, и интересы государства возобладали. 13 февраля 1958 года Сорейя покидает Иран. Вначале она едет в Санта-Мориту кататься на коньках, ее сопровождают и утешают мать и младший брат. Сорейя уже знает, что никогда не вернется в Иран и что все кончено. Может быть, втайне она и надеялась, что шах все-таки вернет ее назад, но тот сразу же занялся поиском новой жены.

«Она была очень несчастна. Очень. Она плакала. Она не знала, что будет с ней дальше. Пока она была шахиней, ее же очень оберегали от наскоков прессы служащие и полиция. Теперь этой защиты не было, и они будут преследовать каждый ее шаг, — рассказывал позднее ее брат. — Развод дался очень тяжело им обоим. Они действительно любили друг друга и оба страдали».

Новая звезда на небосклоне

Фара Диба решила изучать в Париже архитектуру. Целеустремленно, как ей это было свойственно, она осуществляет мечту учиться за границей. Стипендию она не получала и жила на деньги, ежемесячно присылаемые ей матерью. Фара была одной из немногих женщин, выбравших для себя профессию, которая тогда еще считалась прерогативой мужчин.

Она должна была провести за границей четыре года и вначале сильно тосковала по дому. Но были у нее и свои маленькие радости, например, собственный проигрыватель с пластинками. Один раз в неделю она позволяла себе купить букет цветов и украсить скромную комнатку в общежитии. Зимой 1958 года она узнала, что шах и шахиня разводятся. В тот же вечер в дневнике Фары появляется запись: «Шах разводится с Сорейей, как жаль».

Очень скоро Фара прочитала в газете, что у шаха нет более страстного желания, чем рождение наследника, и он ищет для этой цели девушку, на которой мог бы жениться. Студентки-сокурсницы знали, что Фара приехала из Ирана, и это давало повод для шуток: «Почему же шах не женится на тебе? Ты же такая хорошенькая!» Как часто приходилось ей слышать эти слова! Студентки требовали, чтобы Фара написала шаху и убедила его, что она ему подойдет в качестве невесты. Если бы они только знали, что в этом не было необходимости, так как вскоре должен был заработать механизм шахского двора по поиску этой самой невесты.

Весной 1959 года Фара впервые увидела шаха вблизи. Он приезжал в Париж для встречи с генералом де Голлем, и иранское посольство отобрало несколько земляков, чтобы они встретились с шахом. Фара надела черно-белый твидовый костюм с камелией на лацкане. Матери она написала в тот день письмо, переполненное энтузиазмом.

«Какой у него красивый автомобиль! А сам он какой симпатичный. Он почти седой, у него печальные глаза. Как я рада, что увидела его в первый раз вблизи».

Шах пожал ей руку и вежливо поинтересовался учебой. Фара считала, что это была ее первая и последняя мимолетная встреча с шахом. Она радовалась предстоящим каникулам, встрече со своей семьей в Тегеране и даже думать не могла, что уже через четыре месяца остановится в Париже в отеле «Крийон» в качестве будущей шахини. Итак, она предвкушала поездку на каникулы в Иран, а в это время двор в Тегеране лихорадочно работал над проектом «невеста для шаха».

«Он хотел взять в жены интересную женщину, — рассказывает сэр Деннис Райт, бывший британский дипломат в Иране. — В 1959 году был предпринят ряд мер для того, чтобы он мог жениться на принцессе из Италии. Это было совсем незадолго до свадьбы с Фарой. Но в последнюю минуту принцесса передумала, и все это лопнуло. И тогда за дело взялся Ардесхир Цахеди, задачей которого и было найти для шаха интересную женщину. И он нашел Фару Диба».

Дома, в Тегеране, Фара решила еще раз похлопотать о стипендии, чтобы не быть обузой для семьи. Она узнала, что Ардесхир Цахеди заботится об интересах иранских студентов за границей. Цахеди был сыном того самого генерала, которого шах назвал преемником Моссадека в качестве премьер-министра. Ардесхир между тем женился на дочери шаха от первого брака и был, следовательно, зятем Мохаммеда Резы. Он дружелюбно принял Фару, стал расспрашивать о ее студенческой жизни в Париже.

Чуть позже он спросил Фару Диба, не хочет ли она заглянуть к нему на виллу на чай. Его жена, дочь шаха, с удовольствием с ней познакомится. Как и в случае в Сорейей, семья явно помогала шаху найти подходящую жену. Двадцатилетняя Фара немного удивилась внезапному приглашению, но никаких предположений на этот счет не строила. Как только она вошла в дом Ардесхира, доложили о приходе шаха. Состоялся дружелюбный разговор, который Фара все еще считала случайным. Зато когда ее чуть позже снова пригласили к дочери шаха, на сей раз на ужин, она не сомневалась уже, что шах будет там тоже присутствовать.

«Тогда я вспомнила его печальный взгляд в Париже, все, что я читала о разводе с шахиней Сорейей полтора года назад, и все, что мне рассказывали. Властитель хочет снова обручиться и быть уверенным, что страна получит наследника трона, он хочет иметь семью, в которой испытает счастье рождения сына. Счастье, которого ему до 39 лет не дано было испытать... В моих мыслях царила полная неразбериха».

Последовали дальнейшие встречи в доме дочери шаха, и там же он просил руки Фары. «Все другие гости внезапно исчезли, и мы сидели вдвоем на диване. Он посмотрел на меня и сказал, что был уже дважды женат, но несчастливо. И спросил, хочу ли я быть его женой».

Она ни секунды не медлила с ответом и сказала «да». «Я была на пути к трону, — не без гордости рассказывает Фара Диба. Мама была явно потрясена и не скрывала своего беспокойства. Естественно, она разделяла со мной мою радость, но потом она мне призналась, что сразу задала себе вопрос, а был бы мой отец согласен с этим браком. Говорили, что жизнь при дворе насыщена интригами и много злых языков всегда распространяют сплетни про мать шаха или принцесс. Сможет ли такая чистая девушка, как я, — так думала моя мама, — находиться среди всех этих людей, с малых лет привыкших к тому, что они принадлежат к числу избранных, играют с властью, владеют дипломатическими хитростями и умеют вести двуличные разговоры?»

Через несколько дней Фара была приглашена к матери шаха. Это был своего рода тест на единение, которому молодая девушка добровольно подверглась. Она уже знала, как страдал шах от раздоров между Сорейей, сестрами и матерью. Ей хотелось, чтобы этого больше не было.

Новая жизнь Сорейи

После развода Сорейя пробовала начать новую жизнь. Шах присвоил ей титул принцессы, но у нее не было защиты, и прежде всего ей надо было усвоить будничные, привычные всякому простому смертному вещи. Она не привыкла сама расплачиваться в магазине или ресторане. Теперь этому и многому другому нужно было научиться. Утешение она находила у своих близких в Германии.

«Она тогда приехала в Кельн, — рассказывает ее брат. — Мой отец был послом и имел большой дом. Мы были вынуждены бегать от репортеров, изобретая всякие трюки. Мы же никуда не могли свободно пойти, это было страшно неудобно. И это продолжалось годами. Репортеры влезали на деревья, заглядывая в комнаты. Переносить это было очень тяжело».

«Принцесса с грустными глазами» стала излюбленным объектом папарацци. В Германии экс-шахиня оставаться не могла. И она буквально бежит: на Бермуды, в Нью-Йорк, Лос-Анджелес, Индию, Рим, Мюнхен — без передышки Сорейя ищет место, где она могла бы обрести покой и безопасность. Во дворце в Тегеране она часто тоскавала по вполне нормальной жизни, которую она вела школьницей в Цюрихе. Но получилось так, что кино, встречи с друзьями, прогулки — самые скромные желания — были для нее до сих пор недоступны. Едва рядом с ней появлялся какой-нибудь спутник, неизбежно уже на следующий день сообщалось, что этой новый любовник экс-шахини.

В то время как она пыталась как-то справиться с болезненным состоянием после развода, пресса уже была готова вновь ее обручить. «Они доводили меня до того, что я пряталась в моем доме, но вокруг — за каждым деревом, за каждым кустом на корточках таился готовый заснять меня репортер». Прочитав в газетах об обручении шаха с Фарой Диба, Сорейя облегченно вздохнула. Так, по крайней мере, она пишет в своих мемуарах.

Сказочная свадьба номер три

В мраморном дворце было все приготовлено к грандиозной свадьбе. В третий раз должен был жениться персидский шах на молодой девушке в надежде наконец теперь, почти в 40 лет, дать династии наследника. Эскиз платья для невесты сделал французский кутюрье Ив Сен-Лоран, а изготовлено оно было у Диора. Платье было простого покроя, сверху надевалась вышитая персидскими мотивами накидка, оставлявшая плечи оголенными. Венчала наряд белая вуаль, закрепленная драгоценной диадемой. Кроме того, из драгоценностей на невесте были серьги и колье. Это были как раз те вещи, которые по настоянию Сорейи в начале пятидесятых годов изготовил нью-йоркский ювелир Гарри Уинстон. Одна только диадема весила два килограмма, и парикмахеры Фары должны были пустить в ход все свое искусство, чтобы это красивое, но тяжелое украшение укрепить на голове будущей шахини. Весь день на протяжении свадебной церемонии и затем во время празднования диадема должна была оставаться на ней, и понадобилось три часа, чтобы наконец это драгоценное украшение было водружено на прическу и сидело безупречно.

Какой же красивой была невеста! А по пути ко дворцу Фара с ужасом обнаружила, что забыла обручальное кольцо для мужа. Да, в суматохе подготовки к свадьбе просто забыла! По иранским традициям невеста должна приготовить кольцо для мужа. Но и на этот раз ее выручил Ардесхир Цахеди, адъютант шаха. Отсутствие кольца не должно стать препятствием для брака. Адъютант, он же зять шаха, снял свое собственное кольцо с пальца и передал его Фаре.

Свадьба была традиционной, но в то же время более скромной, чем когда-то у Сорейи. Когда жених и невеста проезжали по улицам Тегерана, их приветствовали толпы народа. Фара теперь заняла место своей предшественницы Сорейи. «Только много позже я подумала о том, что заняла место шахини, которую они точно так же любили и приветствовали... И все-таки пришли тысячи людей».

Как и Сорейя, Фара не ждала, пока ее три раза спросят, согласна ли она вступить в брак. Она ответила моментально, против традиций, с первого раза, посеяв в рядах придворных беспокойство и смятение. А в небо уже взлетали белые голуби, ознаменовав заключение брачного союза. Теперь все ждали только желанного наследника трона.

Фара, знавшая, что у ее предшественницы Сорейи при дворе была совсем не легкая жизнь, старалась избегать ошибок и смягчать падения. Очень медленно осваивала она свои позиции хозяйки, но чувства, что она справляется со своими обязанностями, у нее не было. «Тут нет никого, кто тебе объяснит, в чем состоит твоя роль, — рассказывала позднее Фара Диба. — Если имеешь привилегии, нужно признать, что в этом есть и проблемы… Нельзя проявлять свои чувства, и если тебя часто показывают в телепередачах, то все, что ты говоришь, слышит каждый. Поэтому надо быть очень осторожной и в разговорах, и в поведении».

Она старалась решать государственные задачи. Ее областями были здравоохранение, образование, гигиена, культура, к этому у нее лежала душа, и здесь, как ей казалось, она могла быть полезной.

Когда через несколько недель после свадьбы Фара все еще не была беременной, она досадовала сама на себя. Молодая женщина даже не задумывалась над вопросом, а может ли она вообще забеременеть. Она же сознавала теперь, что счастье ее брака зависит от рождения у них с шахом ребенка. И ребенок обязательно должен быть мальчиком. Уже снова начала проявлять активность принцесса Шамс, настаивая, чтобы прибыл знаменитый гинеколог из Швейцарии. Он якобы мог посоветовать, как сделать так, чтобы родился именно мальчик.

Однако, когда профессор приехал, Фара была уже беременна. 31 октября 1960 года шахиня родила ребенка. И это был мальчик! Теперь династия Пехлеви имела наследника трона, и это меняло все.

«20 лет шах ждал сына. Мусульманин ждет сына 20 лет! Это большая редкость, — объясняет иранский журналист. — Рождение у шаха сына было подобно взрыву бомбы! Чтобы продемонстрировать близость династии народу, Фара рожала не в элитной клинике, а в больнице бедного района на юге Тегерана. В иранском народе это вызвало настоящую истерию, души и сердца людей были глубоко тронуты. После рождения сына Фара стала гораздо более значительной фигурой, чем Асхраф — сестра-близнец шаха».

Отныне шах заботился о том, чтобы его жена стояла во главе феминистского движения страны, создавая Ирану современный имидж, в котором права женщин играли не последнюю роль.

Во внешней политике тоже наметился прогресс. Последовали поездки в Европу, и было очевидно, что шах гордится своей молодой женой. Династия Пехлеви казалась защищенной, и властитель сидел на троне, который был сейчас прочнее, чем когда-либо.

Вскоре после рождения наследника шах и шахиня посетили с государственным визитом Францию, и Фару здесь очень сердечно принимали.

«Генерал де Голль и его супруга укрепили мое впечатление тем, что постарались смягчить праздничную церемонию приема и уделить молодой монархине, какой я тогда была, дружеское, почти заботливое внимание. Я вспоминаю маленький анекдот, который мне кто-то рассказал несколькими годами позже:

Когда журналист спросил у де Голля:

— Кто из Первых леди нравится Вам больше всех? Генерал ответил:

— Фара Диба!

— А как же Джеки Кеннеди?

— Она тоже привлекательна, — возразил де Голль, — но Фара не только хорошо выглядит, в ней еще есть и хитринка, и она этого не скрывает».

Так вот рассудил Шарль де Голль, выступив тут в роли молодого Париса, присудившего свое яблоко «Прекраснейшей».

Властитель в парадной униформе, его красавица-жена, богато украшенная драгоценностями, — таким был блестящий фасад этой сказки. Да вот только в Иране царили нищета и коррупция. Люди зарабатывали мало, социальной защищенности недоставало. Деньги из Вашингтона, поддерживающего режим шаха после аферы Моссадека, куда-то растворились.

Это было в то время, когда в Америке стоял у власти молодой президент Джон Кеннеди, оказывающий давление на шаха с требованием от него реформ. В 1962 году шах и шахиня посетили Вашингтон.

«Президент и его жена оказали нам сердечный прием, — рассказывает Фара Диба. — Джеки занималась мной, водила вдоль и поперек по Белому дому, потом мы долго гуляли в парке, и я вижу ее, как сейчас, с коляской, в которой лежал Джон-Джон. В то время уже многие молодые иранцы учились в американских университетах. В большинстве своем это были люди, получавшие стипендии, что не мешало им протестовать против монархии и принимать участие в демонстрациях».

Дома, в Иране, в народе тоже росло недовольство уровнем жизни. Большинство людей жило в нужде — в деревнях или в бедных районах городских окраин. Под все возрастающим давлением шах наконец решился на программу реформ, так называемую «белую революцию». Смысл ее состоял в перераспределении земли, в основном принадлежащей крупным землевладельцам. Женщины тоже получали активные и пассивные избирательные права. Предусматривалась и модернизация инфраструктуры страны с уклоном в индустриализацию.

Что касается США, то для них Иран был надежным поставщиком нефти и оплотом антикоммунизма. С помощью США шах хотел уничтожить оппозицию. Но не только коммунисты были врагами режима. Политика шаха вызывала протесты и у шиитского духовенства, так как вследствие земельной реформы многие духовные лица теряли огромные участки земли и доходы.

В народе, подстрекаемом муллами, недовольство все возрастало. Горели кинотеатры и кафе, в стране царил настоящий разгул криминала. В результате «белой революции» ножницы между богатством и бедностью только увеличивались. Шах реагировал на беспорядки в стране с возрастающей твердостью. Насилие нарастало по спирали.

3 июля 1963 года протесты духовенства достигли высшей точки. 63-летний Айятолла Хомейни призвал народ к свержению шахского режима.

По стране прокатилась мощная волна демонстраций против шаха и его реформ, возглавляемых муллами. Шах вначале колебался с ответными мерами, но по настоянию премьер-министра отдал войскам приказ стрелять. Было много убитых. С этого момента духовенство не просто возненавидело шаха, но почувствовало к нему отвращение.

Оставаться в городе становилось опасно, и Фара, у которой к тому времени родился второй ребенок (девочка), вынуждена была уехать с детьми под эскортом солдат в деревню. Все закончилось тем, что

Айятолла Хомейни был в конце концов арестован, а затем покинул Иран, став лидером шиитской оппозиции и ее символом. Что касается шаха, то миру пришлось признать: из нерешительного регента Мохаммед Реза Пехлеви превратился в диктатора.

«Он хотел быть политиком западного стиля и в то же время восточным деспотом, — заметил его биограф. — Это был мягкий человек, который хотел выглядеть твердым. Он играл не свою роль, этот хороший человек, живший в плохое время. Подобная личность не годится для такого рода политики. Если в странах ислама прибегнуть к насилию, то столкнешься с самоубийством или насилием еще во сто крат большим».

Три лица одной женщины

Сорейя чувствовала себя покинутой и одинокой. Не думала она, что первое время после Тегерана ей будет так тяжело. Экс-шахине хотелось как-то упорядочить свою жизнь, после всех этих путешествий и вечеринок, так и не принесших ей душевного покоя. После разлуки с шахом она стала еще популярнее в Германии. Сердца людей необычайно трогала судьба бездетной женщины, отвергнутой шахом для того, чтобы чуть ли не сразу после развода жениться на другой.

«Женщина, страдающая несмотря на богатство и красоту», — так писали о ней тогда. Она действительно была богата. Шах позаботился о ее материальном благополучии, но ей нечем было себя занять. Еще девочкой она мечтала стать киноактрисой, теперь ничто не мешало ей осуществить свою мечту.

Друзья не советовали ей это делать, понимая, что публике хотелось видеть в ней только монархиню — и только несчастливую. Как актрису люди ее воспринимать не станут.

Сорейя же верила, что нашла свое новое предназначение. В Лос-Анджелесе она встретилась с итальянским продюсером Дино де Лаурентисом. Он несколько раз уже уговаривал ее попробоваться на роль в его фильме, на этот раз она дала согласие. «Это было через пять лет после того, как я покинула Тегеран и была сыта по горло праздной жизнью», — пишет экс-шахиня в своих мемуарах.

В 1963 году она летит в Рим на кинопробы, устроенные Дино де Лаурентисом. Он предлагает ей сниматься в фильме, состоящем из трех новелл. Каждую новеллу снимает другой режиссер: Микельанджело Антониони, Мауро Болоньини и Франко Индовина. Фильм назывался «Три лица одной женщины». На съемках экс-шахиня влюбилась в молодого режиссера Франко Индовина. Он трогательно заботился о новенькой, начинающей в кинобизнесе — и ей это нравилось.

Позже она писала, что это была любовь с первого взгляда. И поначалу любовь без будущего — режиссер был женат и имел двоих детей. Когда фильм вышел на экраны, реакция публики была сдержанной, а рецензии критиков порой и вовсе уничтожающие. Что ж, и на самом деле Сорейя как артистка была неубедительна. Одного красивого лица, даже если это и лицо экс-шахини, недостаточно, чтобы роль состоялась.

Похоже, только одному-единственному зрителю ее кинодебют понравился — шаху, бывшему мужу. «Совсем неплохо», — якобы сказал он, взяв ее под защиту. Во всяком случае, было очевидно, что фильм он посмотрел.

Пресса старалась сохранять имидж Сорейи в качестве экс-монархини. Слишком большие доходы приносили описания печальной принцессы, и так было многие годы. А сочувствующая ей публика считала, что несчастье принцессы Сорейи и дальше будет давлеть над дворцом шаха.

«Тень принцессы Сорейи очень долго лежала между нами», — признается следующая после Сорейи жена шаха, Фара Диба. И еще: «Она была частью нашей истории, но мы не дискутировали с шахом на эту тему», — и это тоже говорила Фара.

Спекуляций и разговоров на тему, продолжал ли шах любить Сорейю, было много. Его адъютант вспоминает, что шах постоянно спрашивал о ней, интересовался, оказывают ли ей должное уважение.

Кинокарьера Сорейи длилась недолго, зато на киносъемках она познакомилась со второй своей большой любовью. Пять лет жили они вместе, дело шло к свадьбе. Но не судьба. Режиссер погиб в авиакатастрофе. Печальная принцесса снова осталась одна.

Трон шатается

Весной 1963 года шахиня ожидала рождения третьего ребенка. Она была счастлива, ей казалось, что она нашла свое место в жизни. Шах распорядился, чтобы в случае его смерти она стала регентшей до совершеннолетия сына. Впервые Ираном правила бы женщина. На первый взгляд кажется, что это логически исходит из современной позиции, предполагающей, что женщина равна с мужчиной. Однако здесь шах в первую очередь заботился о непрерывности правления династии Пехлеви. Реза-шах Пехлеви был настроен, кроме того, провести наконец церемонию коронации, когда-то не удавшуюся еще при Сорейе. Но вначале планировался государственный визит в Германию.

Снова посещает в Германии шах своего школьного друга — князя фон Меттерниха-Винебурга. Жене князя, княгине Татьяне, представилась возможность сравнить этот визит с прошлым, и вот что она пишет о новой шахине: «Ее темные волосы были строго и стильно причесаны. Большие, выразительные глаза, казалось, схватывали все. Это было заметно даже в профиль. Черты лица правильные и строгие... Беседа была приятной и непринужденной, и в то же время серьезной, на пустяках она не останавливалась — явный контраст с пустым щебетанием Сорейи. Она рассказывала о поездке, о своих детях, но прежде всего о своей работе, так она рассматривала свое положение. О своей работе говорила с горячим энтузиазмом, проявляя фундаментальные знания. Все, что она говорила, было интеллигентным, тонким и добрым».

Вероятно, шах ожидал, что немцы встретят его с таким же восторгом, как и в прошлый приезд с Сорейей в 1955 году, но не тут-то было. В этот раз полиции пришлось оцепить улицы, где проезжал шах Ирана. Ему требовалась серьезная охрана. Дело в том, что в Берлине обучались молодые беженцы из Ирана, рассказывавшие о насилии, царившем в стране. В Берлине студенты устроили демонстрацию протеста против шаха. В то время как шах и шахиня находились в Берлинском оперном театре, на улице, перед зданием оперы, выступал другой «хор» — с антишахскими призывами. Тысячи молодых людей выкрикивали: «Убийца, убийца!»

А Мохаммед Реза Пехлеви все больше и больше утрачивал чувство реальности. Предстояла коронация. Шаху хотелось, чтобы она прошла в стиле Наполеона. Вначале шах наденет корону на себя, а затем будет короновать жену. В сейфе государственного банка уже лежала для него драгоценная корона. Корона для Фары была точно такой же, символизируя тем самым единство в семье шаха.

Для церемонии коронации Фару одевали и украшали лучшие парижские кутюрье и ювелиры. Ювелир прилетел из Парижа в Тегеран, так как драгоценности шахини не должны были покидать страну. Карета, в которой шах и шахиня ехали на коронацию, была запряжена шестнадцатью лошадьми. Миллионы телезрителей во всем мире следили за этой церемонией.

«Стремление к власти не является свойством моей натуры, — писала Фара, как бы защищаясь, в своих мемуарах. — Я не чувствовала себя на следующий день после коронации значительнее, чем прежде. Власть была для меня только средством улучшить жизнь иранского народа. Кроме этого, никаких властных интересов я не преследовала».

Татьяна, княгиня фон Меттерних, была приглашена с мужем на церемонию коронации. Как обычно, она записывала все интересные события. Ей мы обязаны сохранившимся описанием церемонии: «Фара бледна и несколько напряжена, у нее высокая прическа, руки сложены вместе. На ней платье из белого атласа с изумительно вышитыми зелеными бархатными рукавами. Кроме этого, на ней бархатная накидка с длинным шлейфом, как на картине Давида, изображающей коронацию императрицы Жозефины. Эскиз платья был сделан во Франции, а сшито оно было в Иране».

Вначале состоялась коронация самого шаха. Затем наступила очередь Фары: «Она медленно поднялась, повернулась к шаху и стала на колени. Он взял с подушки корону. Стараясь не испортить ей прическу, шах водрузил на голову Фары корону. Он сделал это так осторожно, что жест был подобен ласке. Фара смотрела ему при этом прямо в глаза — это был трогательный обмен взглядами между шахом и шахиней, публичное признание ее значения для него. Это подчеркивало также, что она может стать регентшей, и подтверждало его доверие к ней. Кроме того, коронация Фары соответствовала желанию шаха доказать свою современную позицию в женском вопросе». Так, по крайней мере, видела эту ситуацию княгиня Татьяна.

Шах давно планировал еще большую демонстрацию своего могущества. Он задумал сделать из Ирана мировую державу. Доходы от продажи нефти достигали фантастических сумм. Это не могло не кружить голову. И когда в 1971 году праздновали 2500 лет со дня основания персидского государства, шах, как античный царь, гордо выступал впереди своего двора. Короли, главы государств, дипломаты со всего мира были приглашены на эти торжества. А торжества были более чем помпезные.

«Это было просто безумие. Все короли, королевы и президенты со всего мира должны были увидеть, как он великолепен!» Мохаммед Реза даже позволил себе переделать календарь так, как хотелось ему. Ни о каком инакомыслии, ни о какой оппозиции шах даже и слышать не хотел. А трон между тем уже начал шататься.

Шах все чаще прибегал к насилию, считая, что народ и прежде всего духовенство можно запугать истязаниями и смертью. Но он только приобретал еще больше врагов и несогласных с коррупцией и прозападной политикой. Только американцы еще поддерживали шахский режим, а благодаря все росшим и росшим ценам на нефть шах мог вооружаться. В течение четырех лет он закупил современное вооружение стоимостью 9 млрд долларов.

Шах перестал быть «светлым властителем», он вверг страну в хаос. В Иране царила инфляция. Лучшее время шаха осталось позади. А тут еще в США к власти пришел новый президент — Джимми Картер, переставший поддерживать шахский режим. В 1978 году в результате подавления Резой Мохаммедом Пехлеви беспорядков в Иране погибло около десяти тысяч человек. Править в такой обстановке и дальше, не имея никакой поддержки, было невозможно. Шаху Ирана оставалось только одно — бежать из своей страны. Так и случилось. Айятолла Хомейни вернулся в Иран из изгнания, а Реза Мохаммед Пехлеви Иран покинул. Вместе с ним — Фара и дети.

Эта Одиссея началась в 1978 году. Семья странствовала, проезжая Египет, Марокко, Багамы, Мексику, и нигде не получала разрешения остановиться. Ни одна страна не хотела дать приют шаху, хотя уже стало известно, что он болен раком. Он хотел лечиться в Америке, но иранские студенты устроили демонстрацию у американского посольства в Тегеране, захватив его служащих в качестве заложников. Тогда и американцы отказали шаху в лечении. Наконец семью принял Египет. Но Реза-шах Пехлеви прожил там недолго, в 1980 году он умер. После него остались наследники трона. Но не осталось самого трона.

Смерть печальной принцессы

Из далекого Парижа, где она наконец обосновалась, следила Сорейя за этими драматическими событиями. Она не переставала думать о своем бывшем муже, собирала вырезки из газет, писавших о нем, и пыталась установить с ним контакт. За день до операции смертельно больного шаха она звонит в Египет его адъютанту, который был предан своему господину до последней минуты. «Она обязательно хотела поговорить со мной еще раз и передать несколько слов шаху. То, что она сказала, умрет вместе со мной, я могу только сказать, что это были слова любящего человека. Я все передал шаху, а он сказал: «Как бы я хотел перед смертью ее увидеть».

Вскоре шаха не стало. «Я хотела бы быть с ним рядом и держать его за руку. Я чувствовала себя виноватой, — пишет Сорейя в мемуарах. — И все-таки в моем сердце нет печали. Я испытала в своей жизни счастье любви к двоим мужчинам и была любима ими. Многие ли женщины могут сказать о себе то же самое?»

Наверное, экс-шахиня посчитала это иронией судьбы: шах, любивший ее, но отказавшийся от нее потому, что она не могла иметь детей, в конце концов получил наследника, но свой трон потерял. Ее жертва была напрасной.

Еще только один раз была она рядом с шахом, посетив могилу в Египте. В воспоминаниях миллионов людей она остается «печальной принцессой», хотя сама она так не считала. «Я много смеюсь, я вообще не склонна к меланхолии. Я живу настоящим — я не оглядываюсь назад», — так она говорила за год до своей смерти.

Под конец жизни она жила уединенно и злоупотребляла алкоголем. 25 октября 2001 года Сорейя умерла в одиночестве в своей парижской квартире. Причиной смерти был сердечный приступ. Фара с сыном прислали цветы. Так закончилась история одной большой любви.

А встреча двух красавиц в норковых шубах, соперничавших за сердце сказочного шаха, была ли она на самом деле? Обе жили после смерти шаха в Париже, и Сорейя говорила, что случайно встречала Фару в салоне Кристиана Диора. Сама же Фара рассказывает следующее: «Пару раз я встречала ее на улице, но не представилось возможности познакомиться с ней поближе... А мои дети раза два или три встретили ее случайно и подошли к ней представиться. Она была с ними очень дружелюбна. Я благодарна детям, они дали понять Сорейе, что им не внушали недобрых чувств к ней.... Я очень опечалилась, ведь она так недолго была счастлива. Ее жизнь была очень непростой. Она была частью нашей семьи и нашей истории».

Интервью с репортером светской хроники Михаэлем Грэтером (далее МГ)

Интервью берет Марвин Энтхольт (далее МЭ).

МЭ: Когда персидский королевский дом стал интересовать немецкую прессу?

МГ: В 50-х и 60-х годах, тогда это была самая излюбленная тема светской хроники. Да и история была совершенно сказочная: король берет к себе в Иран молодую кельнскую девушку. Лучшей истории желать было невозможно. А Сорейя была грациозна, красива, обладала безупречным вкусом. Целые издательские династии жили десятилетиями благодаря ее истории. Сорейя давала им, так сказать, право на существование.

МЭ: Интерес к Сорейе не пропал даже после ее развода с шахом?

МГ: Нет, напротив, чем бы она ни занималась, будь то покупки на Елисейских Полях или посещение театров и ресторанов, всегда рассказ о ней продавался лучше, чем что-либо другое. Ее называли «печальной принцессой», но она была полна страсти и жажды жизни. Я вспоминаю, как шаловливо она танцевала в парижском ресторане. Трон — это, конечно, необычно и экзотично, но такую страстную женщину он очень стеснял.

МЭ: После развода ее еще называли «принцессой одиночества», это тоже не соотвествует истине?

МГ: Нет, безусловно нет. Конечно, сразу после развода ей было тяжело. Но потом она была счастливее, чем прежде. Она стала зрелым человеком, и благодаря разводу она же покинула золотую клетку. Так что такие ярлыки были чистым расчетом редакторов, они же знали, что привлекает читателей: печаль, разочарование в любви, отчаяние — это так хорошо продается. Газеты, печатавшие такие статьи, только увеличивали свои тиражи.

МЭ: Почему именно в Германии в 50-х годах интерес к Сорейе был так велик?

МГ: Ну да, это было через пять лет после войны, страна еще была в развалинах. Потребность в легких темах, в сплетнях о знаменитостях была велика как никогда. Людям хотелось наверстать упущенное с войной, и Сорейя пришлась точно ко времени. Этот экзотичный король и маленькая немка — это же так похоже на сказку про Золушку. Ну, а уж выглядела она всегда ослепительно.

МЭ: А как сама Сорейя относилась к своей славе в Германии?

МГ: Где бы она ни появлялась, ее окружала огромная толпа фотографов. Она с самого начала держалась очень профессионально: никогда не высказывала недовольства, всегда была дружелюбна. И у нее была классность. Кроме того, она с самого начала излучала известную неприступность, и это не было наигранным.

МЭ: Ее несчастьем была бездетность. И эту тему публика готова была обсуждать десятилетиями.

МГ: ...и, конечно, тот факт, что Фара Диба сразу заняла ее место и родила детей.

МЭ: Разве тема Фары Диба так же способствовала росту тиражей, как тема Сорейи?

МГ: Да, потому что Фара была победительницей. С появлением новой шахини пресса могла по-прежнему поддерживать интерес к иранскому королевскому дому. Сорейю больно ранило то, что у Фары так быстро родились дети. Она не любила говорить на эту тему.

МЭ: Сорейя пробовала сделать карьеру киноактрисы, почему ей не сопутствовал успех?

МГ: Она выглядела на киноэкране очень хорошо, но я сомневаюсь, что она была артистически одаренной. Она могла изображать только саму себя, но не других. Для этого она была слишком Леди.

МЭ: Можно ли утверждать, что она была одинока?

МГ: Она жила одна, но одинокой она не была. У нее были друзья и в Мюнхене, и в Париже, с которыми она проводила время, например, посещала рестораны.

МЭ: Вы знали обеих женщин: и Сорейю, и Фару. Как бы Вы могли их охарактеризовать?

МГ: Я бы охарактеризовал Фару как типичную властную и деловую женщину. Она могла бы быть успешным менеджером. Когда ни одна страна не хотела принять шаха и его семью после их бегства из Ирана, то именно Фара договорилась с правительством Египта, и семья нашла приют в этой стране. Но Фара не обладала той фантастической аурой, что была у Сорейи. Сорейя была безупречна, казалось, от нее исходит свет, как от богини.

МЭ: Можно ли считать этих женщин соперницами?

МГ: Да, конечно, две женщины были замужем за одним и тем же мужчиной, да и не каким-нибудь, а таким недостижимым, как персидский шах.

МЭ: Сорейя очень любила шаха?

МГ: Она тогда была очень молоденькой девушкой. Все это богатство, этот дворец — без сомнения, она была поначалу влюблена. Но и дальше она, безусловно, поддерживала контакт с Тегераном.

МЭ: Ее светская жизнь после Тегерана казалась бесцельной.

МГ: Да нет же. Она всегда старалась быть в центре событий! Она посещала театральные выставки, была уважаемым членом парижского общества. Если она принимала участие в каком-нибудь мероприятии, то это всегда было чем-то особенным для устроителей. Сорейя, Лиз Тэйлор и Джина Лоллобриджида — эти три прославленные красавицы составляли своего рода клуб Леди, достойных любви. Сорейя была особенным человеком, о котором я сохранил наилучшие воспоминания.

ЕВА БРАУН И МАГДА ГЕББЕЛЬС

Было первое мая 1945 года. В бункере под рейх-сканцелярией Гитлера царило ощущение конца. Красная Армия стояла у Берлина, Вторую мировую войну Германия проиграла. Красивая, серьезная женщина вошла в камеру с железными кроватями, где лежали ее шестеро детей в возрасте от четырех до двенадцати лет. Дети уже дремали, на них была светлая, сияющая одежда — их мать Магда Геббельс в последние часы их жизни нарядила детей с особой тщательностью. Чуть раньше все они сидели вокруг матери, она причесывала им волосы и рассказывала, что всем им предстоит одно путешествие. Мать пожелала детям спокойной ночи и поцеловала Хельгу, Хильду, Гельмута, Голду, Гедду и Хайду[1]. Маленьким детям все показалось нормальным, только старшая Хельга тихо плакала. Казалось, она догадывается, что что-то здесь не так.

43-летняя Магда, когда-то первая леди и образцово-показательная мать Третьего рейха, для которой теперь все было потеряно, хотела свести счеты с жизнью. Со своим мужем Йозефом Геббельсом, министром пропаганды рейха, она последовала за Гитлером в бункер, когда стало ясно, что война проиграна. Они обсудили с Геббельсом совместное само-

---

[1] В немецком языке все эти имена начинаются на букву H. Гитлер по-немецки: Hitler (*Прим. перевод.*).

убийство, дети тоже не должны были остаться в живых. Сначала Магда усыпила их, а теперь механически исполняла свою смертельную работу. Мать переходила от ребенка к ребенку, для каждого из них у нее была приготовлена капсула с цианистым калием. Она открывала детям ротики, совала капсулу между зубами и сжимала каждому ребенку челюсти, пока капсулы не лопались, тогда яд оказывал свое действие. После того как все ее дети испустили последний вздох, Магда ушла, чтобы взять еще одну порцию яда. Для себя.

В тот же день покончил с собой и Адольф Гитлер. Рядом с его трупом нашли труп молодой женщины, о которой большинство людей в рейхе никогда ничего не слышали. Ева Гитлер, урожденная Браун, последовала на смерть за своим мужем, отравившись, как и Магда Геббельс, цианистым калием. За три дня до этого Гитлер и Ева Браун поженились, зловещая церемония состоялась в бункере фюрера на глубине 16 метров под землей. В течение пятнадцати лет Ева ждала этого момента — так долго была она тайной любовницей Гитлера. Обычно спрятанная от людских глаз, чуть ли не запертая в резиденции Гитлера в Оберзальцберге, представленная окружению Гитлера как секретарша, Ева смогла только перед лицом смерти стать женой диктатора. Как и Магда Геббельс, последовала она за ним в столицу рейха, когда над нацистским режимом разразился гром небесный. Ева и Магда — обе любили Гитлера до конца и до конца боролись за благосклонность коричневого деспота, превратившего в пепел пол-Европы, изверга, на чьей совести лежит смерть 50 миллионов человек.

«Ева Браун не была фактом истории. Никто никогда не вспомнил бы о ней, если бы она за несколько дней до смерти не вышла замуж за Гитлера», — считает кузина Евы Браун.

Генриетта фон Ширах, жена министра Рейха по вопросам молодежи, узнала о женитьбе Гитлера по радио: «1 мая радио Гамбурга объявило о смерти Гитлера. Мы сидим вокруг маленького радиоприемника, и никто не говорит ни слова... В первый раз было произнесено имя Евы после того, как стало известно о тайной церемонии бракосочетания. И я стала возвращаться мыслями в далекий 1931 год, когда Ева, хорошенькая дочка учителя из Мюнхена, продавала пленку в фотомагазине моего отца, соблазняя покупателей своим красивым декольте. Ее постоянно фотографировали для рекламных целей, и она была безупречной красоткой».

Здесь, в фотомагазине Генриха Гофмана, Ева и встретила в первый раз «господина Гитлера», представившегося как Wolf (слово на немецком языке означает «волк», псевдоним Гитлера. — *Прим. перевод.*).

Путь Магды в Третий рейх

Летом 1930 года на одном из сборищ нацистов в берлинском Дворце спорта среди зрителей можно было заметить одну исключительно элегантную даму. Присутствие Магды Квандт казалось здесь неуместным, так как в высших слоях общества у этой партии практически не было приверженцев. На трибуне находился звонкоголосый Йозеф Геббельс, главный демагог Гитлера.

Защитивший докторскую диссертацию по германистике, Геббельс был хорошим оратором, мастером острых формулировок, его риторика была близка народу. На Магду Квандт внешне непривлекательный Геббельс произвел сильнейшее впечатление.

«Магда загорелась. Он понравился ей как женщине, а не как поклоннице партии, которую она едва знала. Она сказала себе, что должна во что бы то ни стало познакомиться с этим мужчиной, имевшим такую власть над аудиторией», — писала мать Магды.

И это случилось. 1 сентября 1930 года Магда вступает под номером 297 442 в ряды нацистской партии. К этому времени она уже ознакомилась с книгой Гитлера «Mein Kampf» и регулярно читала издания партии. Магда считала, что в среде национал-социалистов ее жизнь обретет новый смысл. Рядовым членом нацистской партии она быть не собиралась, стремилась занять место в активе. Однажды она уже пыталась возглавить женскую группу национал-социалистов в одном из местных объединений, но эта попытка потерпела неудачу. Теперь же она делает ход из пешек в дамки и обращается непосредственно в берлинское руководство партии. Йозеф Геббельс, который, несмотря на неказистую наружность, был великим дамским угодником, с удовольствием знакомится с красивой, элегантной женщиной. А так как дама кроме всего еще образованна и знает иностранные языки, то для нее сразу находится работа. Она должна заведовать личным архивом господина доктора Геббельса. Делать вырезки из немецких и зарубежных статей о нем, собирать эти материалы и давать им оценку.

Внешне их первые контакты казались сдержанными, не было произнесено ни слова о взаимной симпатии. Но Магда отлично поняла, какое впечатление она производит на Геббельса. «Я думала, сгорю от его пожирающего взгляда», — рассказывала она матери. И на самом деле, дамский угодник Геббельс чувствовал себя так, как будто на его обиженное эго проливают бальзам. С детства ощущал он себя аутсайдером, после того как из-за болезни на всю жизнь осталась искривленной правая нога.

Так вот. Теперь, следовательно, Магда. Уже в ноябре 1930 года он записывает в своем дневнике: «Вчера после обеда приходила эта красивая фрау Квандт и помогла рассортировать фотографии». Затем следует еще несколько подобных записей, а в начале 1931 года неутомимый юбочник добивается своей цели: «Вечером приходила Магда Квандт. И оставалась очень долго. Она цветет пленительной русоволосой сладостью. Где ты, моя королева?» И несколькими днями позже: «Красивая, красивая женщина! Как я буду любить ее! Сегодня я как во сне. Так переполняет меня счастье. Как прекрасно любить красивую женщину и быть ею любимым».

Насколько глубоки были в действительности чувства Магды к Геббельсу, сказать нельзя. Снова и снова заставляет она трепетать своего ухажера, вызывая в нем чувство бешеной ревности. Геббельс постоянно доверяет своему дневнику детали ссор со своей своенравной любовницей, совершенно обезумев от мысли, что его место может занять соперник.

«А потом я был один со своим страданием. Магда мне не звонит. Я звонил ей тридцать раз. Она не отвечает. Я взбудоражен, я в отчаянии. Самые мрачные мысли одолевают меня... почему от нее нет никаких вестей? Эта неизвестность смертельна. Я должен с ней поговорить во что бы то ни стало. Я прибегну сегодня для этого к любым средствам. Вся ночь для меня была единой кричащей болью. Я хотел реветь истошным голосом. Сердце разрывается в моей груди».

Главный демагог Гитлера, умевший доводить до истерики массы людей, в душевном единоборстве со своей любовницей теряет самообладание. Но между этими двумя уже установилась связь, которая не порвется никогда. «Я люблю теперь только одну ее», — понимает Геббельс, и вскоре Магда уже должна быть представлена Адольфу Гитлеру. С этого дня ее не покидает тщеславная мысль сделаться первой дамой нацистского рейха, а для этого, как она хорошо понимала, ей требовался Йозеф Геббельс.

Ева и Волк

Как и многие молодые девушки, Ева Браун мечтала стать кинозвездой. В фотомагазине Генриха Гофмана на Шелингштрассе можно было все-таки быть в каком-то контакте с целлулоидной пленкой. И девушка получает в этом магазине место ученицы. Молодая, кокетливая Ева была абсолютно во вкусе Гофмана, личного фотографа Гитлера. Гофман был одним из первых членов нацистской партии и постоянно общался с фюрером. Гитлер, любивший принимать театральные позы, часто приходил в ателье Генриха Гофмана при магазине и охотно болтал с молодыми служащими. Так он познакомился с Евой Браун.

Однажды вечером в 1929 году «господин Вольф» зашел в магазин. Гитлер выбрал себе такой псевдоним потому, что хотел, подобно волку, уничтожить

стадо своих политических противников. Вначале молоденькая Ева была от него не в восторге: «Тут пришел шеф (Гофман), а с ним господин в возрасте со
смешной бородкой в светлом английском пальто и с
большой фетровой шляпой в руках... Я, не оборачи-
ваясь, скосила на него взгляд и заметила, что мужчина смотрит на мои ноги. Я как раз в этот день укоро-
тила юбку и чувствовала себя в ней не совсем удоб-
но, потому что не была уверена, что подол подшит
ровно. Я сошла с лестницы, на которой стояла, вниз,
и Гофман представил его как господина Вольфа», —
рассказывала позже Ева своей сестре.

Да, сначала этот пожилой, по сравнению с Евой,
господин ей не понравился. Но, делая ей комплименты, он излучал такой шарм! Ева не имела ни малейшего представления, кем на самом деле был ее уха-
жер. И хотя его фотографии были в ателье Гофмана повсюду, Еве не пришло в голову связать Гитлера с Вольфом. Слишком уж она была далека от политики.

А голова Евы была забита совсем другим, как
вспоминает дочь Гофмана: «Тогда мы пошли на наш
первый костюмированный бал. Ева представляла
«букет фиалок». Ее костюм был покрыт букетика-
ми фиалок, ее матовые, светлые волосы тоже укра-
шал пучок светлых и темных фиалок. Она танцевала
с большим удовольствием. Я была одета матросом в
белых шелковых брюках, на моей матросской шапочке была надпись «Гинденбург». Так мы стояли перед
высоким зеркалом, в которое смотрели многие годы
клиенты перед тем, как сфотографироваться. Ева как
раз засовывала в свое декольте два носовых платка,
чтобы придать фигуре более округлые формы, ско-

сив на меня глаза, она проронила: «Тебе же как матросу этого не надо».

Все-таки Ева Браун начинает интересоваться этим господином Гитлером. Она уже знала его под этим именем, а в родительском доме его называли «молодой барсук, который сам себя считает очень мудрым». Отец Евы прозорливо советовал ей переходить при встрече с ним на другую сторону улицы. Не послушалась Ева.

Генриетта Гофман (впоследствии фон Ширах) наблюдала за зарождающимся счастьем Евы Браун: «Господин Гитлер, о котором газеты писали столько интересного, который часто и с удовольствием дарил нам билеты в оперу, у которого был черный «Мерседес», овчарка и шофер, и, когда он хотел, умел говорить такие прелестные комплименты: «Разрешите пригласить Вас в оперу, фройлен Ева? Видите ли, я всегда окружен мужчинами, тем более я умею ценить счастье быть рядом с женщиной». Ну кто же тут сможет устоять? Конечно, там можно было только немножко пощебетать в перерыве между аплодисментами, но у Евы было терпение, одна очень надежная предсказательница судьбы сказала ей, что она «однажды станет всемирно известной», так разве не стоит подождать?!»

Ждать Ева должна была еще долгие годы, и о своей внезапной сомнительной всемирной известности после кончины режима наци ей было узнать не суждено. Однако в начале 30-х годов она чувствовала себя польщенной ухаживаниями Гитлера. Он был на 23 года старше этой тщеславной девочки-подростка, и вначале речь не шла ни о каких интимных отношениях.

Магда становится фрау Геббельс

В отношениях между Магдой Квандт и Йозефом Геббельсом взлеты и падения чередовались с завидным постоянством. Осенью 1931 года Магда знакомится в берлинском отеле «Кайзерхоф» с Адольфом Гитлером. Геббельс представил ее Гитлеру, конечно же, умолчав при этом, что они с Магдой любовники. Фюрер произнес один из своих опаснейших политических монологов, которые Ева считала такими скучными и слишком для себя сложными. Магда же, наоборот, внимала ему, затаив дыхание, боясь упустить хотя бы одно слово. Тому это, безусловно, льстило. На него произвела впечатление эта привлекательная блондинка с большими серо-голубыми глазами, как заметил его адъютант Отто Вагенер.

В вечер первого знакомства с Магдой Гитлер был в опере, но опера не могла его отвлечь от мыслей об этой женщине. Магда всколыхнула в его душе множество воспоминаний. В перерыве он говорил своему адъютанту о неземных моментах и больших чувствах, которых не испытывал со времени смерти своей любимой племянницы Гели Раубаль. Отношения Гитлера с женщинами с давних пор носили странный характер. Он часто выглядел зажатым и асексуальным, но иногда был необычайно заботливым и обаятельным. С тех пор как Ангелика Раубаль, которую все называли Гели, покончила жизнь самоубийством, казалось, его снедает чувство вины. Эта молодая девушка, дочь сводной сестры Гитлера Ангелы, была его подопечной и мечтала стать певицей. Однако, приехав в Мюнхен, стала изучать медицину. Длилось это недолго. Уже после первого семестра Гели с медициной покончила. Состоятельный дядя Гитлер стал оплачивать ее уроки пения.

Гели была привлекательной и жизнерадостной девушкой. Множество мужчин влюблялись в миловидную, темноволосую племянницу Гитлера, так не похожую на образцово-показательный тип нацистской женщины. Считалось, что дядя Гитлер заменил ей отца. Так вот этот эрзац-отец исключительно ревниво следил за племянницей, запрещая ей контакты с мужчинами и все более мелочно опекая ее.

Насколько далеко зашли его отношения с Гели, неясно и по сей день. Не существует никаких подтверждений, что она была его любовницей, но он повсюду с гордостью показывался с ней рядом. Его товарищи по партии были в восторге от девушки, и в первую очередь неутомимый бабник Геббельс. Он записывает в дневнике: «Шеф был со своей красивой племянницей, в которую нельзя не влюбиться».

18 сентября 1931 года между Гитлером и Гели произошла сильная ссора, после чего она схватила пистолет и застрелилась. Мотив самоубийства уже никогда не удастся разъяснить с абсолютной точностью. Однако высказывались догадки, что Гели застрелилась из-за ревности к Еве Браун. Позднее Гитлер говорил, что Гели была единственной женщиной, на которой он хотел жениться. Для него она всегда оставалась женщиной его мечты.

Вероятно, после этого трагического эпизода только Магда смогла вызвать в нем столь же сильные чувства. Пока Гитлер разглагольствовал с адъютантом о ее достоинствах, трое его телохранителей в этот богатый событиями день находились в гостях у этой дамы и угощались алкоголем. Внезапное появление Геббельса заставило их встать и распрощаться, однако теперь отношения Магды и Геббельса стали для всех очевидны. И Гитлеру тут же о них рассказали. Отто Вагенер, адъютант Гитлера, так описывает его реакцию: «Гитлер был потрясен, у него перекосилось лицо, так как он, по-видимому, сделал попытку рассмеяться, но смеха не получилось».

Позже он откровенничал с Отто Вагенером: «Эта женщина могла бы играть в моей жизни большую роль, даже если бы я на ней и не женился. В мою работу, требующую мужских инстинктов, она могла бы внести женское начало. Она могла бы стать для меня второй Гели. Жаль, что она не замужем».

Гитлер давно уже оставил мысль о собственной женитьбе. Как будущий фюрер нации, он не уставал повторять, что никогда не женится. «У фюрера не может быть жены — одной женщины. Для него жена — это вся Германия».

Симпатия между Магдой и Адольфом Гитлером была взаимной и очень большой. Он ценил ее как обаятельную и образованную женщину, которая была в состоянии внедрить идеи его движения в светские салоны. А та, со своей стороны, чувствовала, что находится теперь на пути к верхам. «Гитлер уважал ее, а она его — еще больше. Он принимал ее советы: и общие, и те, что касались государственного управления. Она была очень приятна и всеми любима, была сдержанной и очень, очень скромной», — так отзывался о Магде Геббельс Герберт Деринг, заведовавший хозяйством Гитлера в Бергхофе, в резиденции фюрера в Оберзальцберге.

«Очень, очень скромная»[1] белокурая Магда и внешне была весьма привлекательна, вполне соответствуя пропагандируемому наци образу немецкой женщины. А главное, она была готова посвятить свою жизнь идее фюрера и отечеству. Гитлер дал понять своему окружению, что эта женщина, член национал-социалистической партии, — образец для всех женщин Германии и неотъемлемая часть его политики. Но так как его невеста — это вся Германия, то сам он на ней жениться не должен, а приказывает это сделать своему вассалу — Йозефу Геббельсу. Магда с радостью идет на это, ведь брак с Геббельсом дает ей возможность постоянно быть рядом со своим идолом   Гитлером.

Отто Вагенер, преданный Гитлеру адъютант, получил от хозяина распоряжение поговорить с Магдой о ее браке. Этот образец абсолютного косноязычия приводится ниже. Он предложил ей выйти замуж за Геббельса, так как «она его уже и так хорошо знает и потому, что Гитлеру он тоже нравится, и потому, что Геббельс приличный парень, с которым Вы эту трудную задачу обязаны и можеть решать не только же лично для Гитлера, но и для всего движения в целом, для блага немецкого народа». Магда отвечала: «Для Адольфа Гитлера я готова на все».

Своей матери Магда сказала: «Если Гитлер придет к власти, я стану одной из первых женщин Германии». 19 декабря 1931 года Магда и Йозеф Геббельс вступают в брак. Ее свидетелем был Адольф Гитлер.

---

[1]   Возможно, Магда Геббельс и производила на кого-то впечатление человека скромного, но в логику ее характера скромность никак не укладывается (*Прим. перевод.*).

Ева становится любовницей Гитлера

Гитлер все еще продолжал заглядывать в фотоателье своего друга Гофмана и поддерживать контакт с Евой Браун. В начале 1932 года безобидные совместные посещения пикников и кафе переросли в нечто большее. В мюнхенской квартире Гитлера на Принц-регентенплац Ева Браун стала его любовницей, сообщает одна из экономок[1].

Очевидно, для того чтобы эта связь стала возможной, требовалась помощь со стороны. Вот свидетельство заведующего хозяйством Гитлера Герберта Деринга: «Если бы Гофман не соединил этих двоих, они никогда бы не были вместе. Но Гофман не переставая старался соединить их, подавая, так сказать, Гитлеру Еву Браун на серебряной тарелочке, пока тот не клюнул».

Возможно, Гофман преследовал здесь и собственные интересы, убирая таким образом из-под «обстрела» свою дочь Генриетту. Рвущийся к власти национал-социалист был с ней очень хорошо знаком. Об одном почти «поцелуе» рассказывает сама Генриетта: «После вечеринки в доме Гофмана она осталась одна, все гости разошлись, отец тоже ушел к себе в комнату. В дверь позвонили, перед Генриеттой стоял

---

[1] Ничто не скроется от недремлющего ока экономок. Но, похоже, именно этой экономке удалось увидеть то, что не видели остальные. На немецком телевидении часто демонстрируется рассказ домоуправителя Гитлера в Бергхофе. Этот глубокий старик говорит: «Жена моя работала со мной вместе у Гитлера в Бергхофе. Надо признать, что женщиной она была очень любопытной и всегда внимательно рассматривала простыни Гитлера, когда в доме ночевала Ева Браун. Так вот, ни разу, — ни разу! — моя жена не обнаружила на постели никаких следов сексуального контакта» (*Прим. перевод.*).

Адольф Гитлер. Он забыл свой кнут. «Да. Вот он висит в гардеробе на крючке, короткий кожаный кнут, служащий одновременно поводком для собаки...» Господин Гитлер был в английском пальто, в руке держал свою серую велюровую шляпу. И вдруг он произносит что-то такое, что ему совсем не идет, произносит очень серьезно: «Не хотите ли Вы меня поцеловать?» Он сказал «Вы». Что за представление: целовать господина Гитлера?»

Девушка отказывается, и Гитлер молча уходит. Генриетта тут же рассказывает все отцу. Реакция Гофмана — бурная: «Не обольщай себя надеждами. А ну марш в постель!» Впоследствии, однако, общение Гитлера и Генриетты продолжалось, и он даже познакомил ее с одним из членов своей партии фон Ширахом. Фон Ширах станет позже министром по делам молодежи Третьего рейха, а Генриетта выйдет за него замуж.

Но вернемся к Еве Браун. Об отношениях с ней Гитлера знали очень немногие, свою связь Гитлер афишировать не хотел. Вначале Ева ничего не знала о его особенных отношениях с Гели и не могла предполагать, как много значила для Гитлера его племянница. После самоубийства Гели Гитлер рассказал Еве Браун, как он потрясен этой смертью. Ева восприняла его рассказ по-своему. Она пробует копировать Гели: одевается как та, делает себе такую же прическу, подражает ее пластике. Ева явно старается заменить Гели Раубаль. Невозможно. Для Гитлера Гели остается незаменимой. Ева, поначалу не находившая в этом пожилом, по сравнению с ней, человеке ничего особенного, теперь была безнадежно влюблена. Возможно, здесь сказалась тоска по отцовской любви. Еще маленькой девочкой Еве приходилось бороться за любовь к себе. Ее отец, Фридрих Браун, мечтал иметь не дочь, а сына. Ева была дикаркой и готова была становиться на уши, чтобы только понравиться отцу. В школе она была далеко не самой усердной ученицей и прибегала ко всяческим трюкам, чтобы не обременять свою жизнь чрезмерными занятиями. От отца ей иногда доставалась порка, да и мать была с капризной девочкой не ласковее.

Теперь, теоретически, Гитлер должен был бы восполнить недостаток родительской любви к Еве. Но, похоже, в этот период времени он любил Еву Браун тоже чисто «теоретически». Адольф Гитлер целиком и полностью посвятил себя своей невесте Германии и весь 1932 год провел главным образом в предвыборных поездках и политических мероприятиях. Ева все больше приходила в отчаяние от разлуки с ним. Подливала масла в огонь и Генриетта Гофман (кстати, Генриетта дружила когда-то и с Ангеликой Раубаль), показывая Еве многочисленные фотографии, на которых Гитлер с агитационной целью был изображен среди красивейших женщин Германии.

«Ужасными были для Евы годы перед войной, когда Гитлер давал в своей рейхсканцелярии большие приемы для деятелей искусства. Он приглашал к себе до тысячи человек. Деятели театра, музыки, кино, художники — все, кто принадлежал к области искусства, были приглашены, — рассказывает Герберг Деринг. — На таких приемах он с удовольствием находился в окружении в высшей степени элегантных, волнующих дам. Тут было отчего взорваться от ревности».

Когда год прошел почти без известий от любовника, Ева Браун решила воздействовать на его самое уязвимое место. Она знала, как потрясло Гитлера самоубийство Гели, и теперь точно так же взяла в руки пистолет, принадлежавший ее отцу и хранившийся у того в ящике стола. Никто не может сказать, хотела ли она на самом деле покончить жизнь самоубийством или ее целью было только напугать любовника. Ева приставила пистолет к горлу и в полночь нажала на курок. Хотя она только оцарапала горло, крови было много. Придя в себя, Ева сама вызвала врача.

Гитлер увиделся со своей любовницей только после того, как она вышла из больницы. Место встречи: квартира все того же фотографа Гофмана. Перед тем, как Ева предстала перед Гитлером, подруга искусно подкрасила ей лицо. Глубокие, темные тени под глазами еще больше придавали ей вид жертвы. На Гитлера ее акция подействовала настолько, что он «сделал для себя выводы»: «Я должен буду в будущем больше заботиться о ней. Это нужно для того, чтобы она больше не вздумала повторять подобную глупость».

Он сдержал слово, действительно стал уделять ей больше внимания, но их отношения продолжали и дальше быть под секретом. А на публике Адольф Гитлер являлся в окружении знаменитых женщин: Магды Геббельс, Лени Рифеншталь и актрисы Анни Ондра. К этому кругу принадлежала в то время и Винифред Вагнер, невестка композитора Рихарда Вагнера. Ее муж Зигфрид рано умер, и Гитлер часто навещал вдову на ее вилле. Гитлер любил оперы Вагнера — еще больше, чем музыка, на него производили впечатление массовые сцены, как, например, в «Кольце Нибелунгов». Он, безусловно, черпал в них вдохновение для инсценировок национал-социалистических партийных мероприятий.

Песнь о Нибелунгах

В средневековой легенде о Нибелунгах две королевы — Брунхильда и Кримхильда — спорят о том, чей муж — Гюнтер или Зигфрид — лучше и сильнее, а следовательно, и выше рангом. Спору предшествовала игра мужчин, полная интриг: король Гюнтер сумел покорить сердце Брунхильды именно благодаря помощи Зигфрида, спрятавшегося под шапкой-невидимкой. При этом Зигфрид, будучи невидимым, еще и похищает у нее кольцо и пояс. Брунхильда ни о чем не догадывается, и муж-король Гюнтер тоже мудро решает не посвящать ее в свою тайну. Поэтому Брунхильда считает Зигфрида человеком из свиты своего мужа и настаивает на этом в споре с другой королевой.

Королеве Кримхильде известно, какую роль играл Зигфрид на самом деле, она раскрыла тайну двух мужчин. Но вместо того чтобы сказать об этом открыто, она предпочитает изощренно помучить Брунхильду. Надевает на себя драгоценности соперницы, которые у той похитил Зигфрид, демонстрируя всем, а в первую очередь сопернице-королеве, как в действительности обстоят дела. Соперничество женщин приводит к ненависти и жажде мести.

Мстить хочет опозоренная Брунхильда, задумывая убить Зигфрида. Исполнитель убийства находится быстро. Человек из свиты мужа Брунхильды — Хаген, видя слезы своей королевы, вызывается убить Зигфрида. Хаген завоевывает доверие Кримхильды, обманув ее тем, что якобы хочет охранять Зигфрида. Чтобы Хаген охранял Зигфрида получше, Кримхильда рассказывает Хагену об уязвимых местах мужа. Дело в том, что, выкупавшись в крови дракона, король Зигфрид стал неуязвим для ран, но «ахиллесова пята» все же есть. На охоте Хаген убивает Зигфрида, а позже погружает сокровища Нибелунгов, некогда Зигфридом завоеванные, в Рейн. Хаген боится, что благодаря сокровищам Кримхильда, ставшая вдовой, может завоевать громадную власть.

Теперь вступают в действие слезы другой женщины, влекущие за собой новые несчастья. Возвращаясь с охоты, Хаген и король Гюнтер рассказывают, что Зигфрида убили разбойники. Кримхильда не верит этому и клянется со своей стороны отомстить. Но отомстить она сможет только спустя десятилетие.

В конце этой драматической истории Кримхильда убивает брата Гюнтера так же, как и Хагена, мечом своего мужа Зигфрида. Насладиться местью Кримхильда не успевает, убивают и ее. Так заканчивается легенда о Нибелунгах. Заканчивается так же, как и начиналась: интригами, местью, кровью.

Поскольку Гитлер часто бывал у Винифред Вагнер, не замедлили поползти слухи о предстоящей помолвке, хотя фюрер снова и снова подчеркивал, что не женится никогда. От друзей же Ева слышала, что Гитлер якобы сделал Винифред Вагнер предложение. Все это никак не способствовало хорошему настроению фройлен Браун.

Тайна Магды

В 1932 году Магда была беременна от Йозефа Геббельса. Беременность закончилась выкидышем, и в то время, когда ее муж бок о бок с Гитлером домогался власти, в одной из клиник врачи боролись за жизнь Магды Геббельс. По поводу соратника Геббельс записывает в своем дневнике: «Я крепко жму руку Гитлера и говорю ему: «Я желаю Вам власти!» Еще одна кичливая запись того времени: «Мы хотим бороться, победить или умереть».

Но, волнуясь за жизнь жены и будучи на грани нервного срыва, он делает записи совсем в другом тоне: «Между жизнью и смертью. Я вдали от нее за 600 км, привязан к этой комнате в отеле. Страх подсказал мне, как глубоко я люблю эту женщину и как она мне бесконечно нужна... Всю ночь дрожал и молился: Боже, сохрани мне эту женщину. Я не могу жить без нее. На рассвете — прямо в клинику. Все такие серьезные. У меня страшные опасения».

Магда выжила, теперь ей надо было прийти в себя и собраться с силами, чтобы соответствовать образцовому портрету женщины-наци.

Что же, у нее это получилось. Она родила семерых детей, шестеро из которых в браке с Геббельсом. А седьмой? О, это целая история. Образцово-показательная мать до брака с Геббельсом уже побывала замужем, рожала и имела любовника. Седьмой, а точнее, первый сын был ребенком от промышленника Гюнтера Квандта.

Магда, познакомившись с Йозефом Геббельсом, уже имела богатую биографию. С первым мужем, Гюнтером Квандтом, она познакомилась в поезде, в 1920 году. И так ему понравилась, что очень скоро этот состоятельный человек, бывший в два раза старше ее, просил ее руки. Он недавно овдовел и искал женщину, которая могла бы заменить мать его троим детям. Правда, семья Магды оставляла желать лучшего. Она была дочерью предпринимателя Оскара Ритшела, занимавшегося строительством, и служанки. Ритшел женился на матери Магды незадолго до рождения девочки. Магде не было еще и трех лет, когда родители развелись. Мать снова вышла замуж за кожевенного фабриканта — еврея Рихарда Фридлендера, удочерившего Магду и давшего ей свою фамилию. Так она становится Магда Фридлендер. Девочка получает хорошее образование в интернатах Брюсселя и Берлина. Ее кровный отец — Оскар Ритшел, с которым она не прерывала отношений, знакомит дочь с буддизмом, долгое время оказывавшим на нее влияние. Когда Гюнтер Квандт просил руки Магды, ему мешала ее еврейская фамилия. Не мудрствуя лукаво, Магда перед свадьбой берет фамилию родного отца — Ритшела и таким образом входит в строго протестантскую семью Квандта. Она заботится о троих детях этого богатого человека, рожает сына Гарольда. Потом в семье появляются еще трое детей погибшего друга Квандта.

Счастлива Магда в браке не была. Муж-миллионер ею пренебрегал, да еще и скупым оказался. Ее культурным запросам он тоже не соответствовал. И после семи лет брака у Магды Квандт появляется любовник, с которым она познакомилась на балу еще до замужества.

Любовником будущей первой леди Третьего рейха был Хаим Виталий Арлозоров, интересный темноволосый мужчина иудейского вероисповедания. Как пламенный приверженец учения Теодора Герцля, он ратовал за свободное еврейское государство в Палестине.

Когда о любовной связи Магды стало известно, для нее встал вопрос, как при разводе выйти сухой из воды и получить большие алименты. Она придумала. На свет выплывают письма, компрометирующие ее мужа. В результате Магда Квандт получает дом, в котором впоследствии ее будут посещать Гитлер и его клика, и ежемесячную выплату в размере 4000 рейхсмарок. Она была еще вместе с Арлозоровым, когда у нее появился новый почитатель: Герберт Гувер, мультимиллионер, племянник американского президента. Встретившись с Магдой в романтической обстановке, у озера в пригороде Берлина, и получив от нее окончательный отказ, ее разочарованный поклонник велел шоферу ехать на такой сумасшедшей скорости, что машину, в которой несостоявшаяся пара возвращалась в город, занесло, и автомобиль перевернулся. Магда была ранена и долгое время провела в больнице. Поклонник остался жив и невредим.

Женская жизнь Магды и дальше протекала весьма бурно. Когда она познакомилась с Геббельсом, Хаим Виталий Арлозоров продолжал все еще играть для нее важную роль. Ведь еще до свадьбы с Квандтом она ощущала к нему большую симпатию. Еврейская журналистка Белла Фромм записала в 1932 году поразительные слова, услышанные ею от знакомого: «Если бы не появился богач Гюнтер Квандт, кто знает, где бы она сейчас была. Вероятно, стояла бы в кибуце в Палестине на часах, с винтовкой за плечом и с лозунгом из Старого Завета на губах».

Так что политические пристрастия будущей образцовой женщины Третьего рейха были исключительно гибкими. Попав в круг национал-социалистов, она почувствовала для себя возможность приблизиться к власти. Хаим Виталий Арлозоров, естественно, не мог понравиться ее новым друзьям с их антиеврейскими убеждениями. Но не сразу. Поначалу она даже рассказывает о нем Геббельсу. Впрочем, от Арлозорова она тоже не скрывала появление нового поклонника — Йозефа Геббельса. Пусть ревнуют оба! Какое-то время она играла на чувствах обоих любовников. В конце концов Хаим во время одной из ссор с Магдой схватил пистолет и выстрелил. Пуля застряла в дверной раме. Это и привело к окончательному разрыву их отношений. Позже Арлозоров уезжает в Палестину, где его при невыясненных обстоятельствах убивают.

Такая вот биография, совершенно неподходящая для образцовой женщины-наци. Тем более Магда старается соответствовать идеалу фюрера. Рискует здоровьем, постоянно беременеет: то у нее выкидыш, то роды.

Когда Гитлер в 1933 году приходит к власти, то оказывается, что для Йозефа Геббельса в кабинете министров не предусмотрено никакого поста. Для Магды это уму непостижимо, она впадает в депрессию. В конце концов Гитлер создает специально для ее мужа министерство агитации и пропаганды. Тщеславие Магды Геббельс удовлетворено. Теперь она первая леди Третьего рейха, как и мечтала.

Как неофициальный вождь женщин режима наци, «прославленная мать» выступала по радио с коричневыми манифестами: «Святейшие качества немецкого народа были разрушены (в Веймарской республике). Мораль, честь, любовь к Отечеству должны были отступить перед разлагающей и разрушающей властью низкого и непочтительного образа мыслей. Так деградировала ценность материнства, и сумасшествие фривольного времени свергло женщину-мать с высокого пьедестала хранительницы семьи. Ничего удивительного, что, когда в народе появился человек нового времени и борец за новую мораль, то женщины, и прежде всего матери, инстинктивно потянулись к нему. Осознав его высокие духовные и моральные цели, они стали его восхищенными поклонницами и фанатичными борцами», — вещала Магда Геббельс в День матери 14 мая 1933 года. Фанатичкой она уже оставалась до самого своего конца.

Ева и «Валькирия»

Итак, рейхсканцлер Гитлер переезжает в Берлин, но Еве Браун не разрешается находиться рядом с ним. Она остается в Мюнхене. Ее родители до сих пор ничего не знают о ее особенных отношениях с фюрером. Он посещает ее нечасто, но в свой 21-й день рождения Ева получает от него в подарок драгоценности: кольцо, серьги и браслет из зеленого турмалина. Эти вещи были спрятаны до самой ее зловещей свадьбы в бункере.

Ева Браун все еще надеется на хеппи-энд, а Адольф Гитлер продолжает держать ее на расстоянии. Так проходит два года, от надежды к отчаянию. Ева постоянно находит в газетах фотографии своего тайного любовника, окруженного первыми красавицами. Ревниво записывает она в своем дневнике: «Три часа ждала я перед «Карлтоном», и мне пришлось наблюдать, как он покупал Ондре цветы и приглашал ее на ужин... Я нужна ему только для одной определенной цели, что-то другое — невозможно». Ева чувствует себя очень одинокой и очень себя жалеет. Почему-то ей даже не приходит на ум самой разорвать эти мучительные отношения. К своему 23-летию она мечтала получить в подарок собаку, но далекий любовник присылает цветы. «Если бы только у меня была собачка, я бы не была совсем одна. Но я требую слишком многого… Собственно, я неблагодарна. Но я так мечтала о таксе, и вот теперь опять ничего. Возможно, тогда в следующем году. Или еще позже, тогда это будет еще лучше подходить начинающей старой деве», — с горечью пишет Ева Браун в своем дневнике.

Через неделю она уже в полной эйфории и записывает, что у нее был Гитлер и обещал ей собственный домик. Вслед за этим от любовника опять ни слова, и Ева не знает, что и думать. Ее интересуют только собственные переживания, собственная судьба — этим и ограничен круг ее мыслей. Политика же Еве Браун совершенно безразлична. Она не понимает и не интересуется тем, что вытворяет Гитлер.

«В политике Ева была абсолютный нуль. Политика совершенно не подходила ее характеру, т.к. она никогда не умела посвятить себя одному делу. Быть организованной, принимать в чем-то активное участие — этого она не делала ни в политике, ни в чемлибо другом. Большой активности она не проявляла», — рассказывает кузина Евы Браун.

Гитлер просто вытеснил из своих мыслей образ возлюбленной, тоскливо ожидающей его. Это были годы, когда он снова ввел в Германии всеобщую воинскую повинность, и в стране началась гонка вооружений. Чем была для него, по сравнению с этим, молодая женщина, страстно мечтающая о собачке?

Узнав от второй жены Генриха Гофмана — Софьи, что ей следует опасаться еще одной соперницы, Ева записывает 10 мая 1935 года в свой дневник, погрешив сразу против всех правил пунктуации: «Как мне любезно и вместе с тем бестактно сообщила фрау Гофман у него есть сейчас замена мне. Замену зовут

Валькирия[1] и выглядит она точно так же, включая ноги. Но ему ее размеры нравятся… Если то, что сообщает мне фрау Г. правда, я нахожу, что это просто неслыханно с его стороны не сказать мне об этом. В конце концов, он мог бы уже меня хорошо знать и понять, что я не стану ему поперек дороги если ему по сердцу пришлась другая. А что станет со мной, пусть ему будет безразлично».

Совершенно очевидно, что Ева Браун все больше и больше была склонна к тому, чтобы сдаться. Но то, что описанная Валькирия действительно может быть серьезной соперницей, Ева во внимание не принимала. Однако эта молодая дама была с Гитлером в тесном контакте. Юнити Валькирия Митфорд была знатной англичанкой, кузиной жены Уинстона Черчилля (премьер-министра Англии с 1940 года). Высокая голубоглазая блондинка абсолютно соответствовала нордическому женскому типу, который так нравился нацистам. Англичанка была в восторге от оккультных и фашистских идей и пустила в ход все ухищрения, чтобы проникнуть в узкий круг Гитлера.

И на Адольфа Гитлера Юнити Валькирия Митфорд произвела глубокое впечатление. Он дарит ей дом в Мюнхене, из которого выгнали прежних жильцов-евреев. По сообщениям британской разведки, Гитлер, бывая в Мюнхене, проводит с ней много времени. Неудивительно поэтому, что у него не находится времени для Евы Браун, живущей в том же го-

---

[1] В древнегерманской мифологии дева-воительница следила за битвами и забирала души погибших войнов. Так называется и одна из опер Вагнера. Кстати, под таким же названием был закодирован и план путча против Гитлера в 1944 году. (*Прим. перевод.*)

роде. Участвуя в немецком еженедельном шоу, молодая англичанка ведет пропаганду в пользу наци и даже разрисовывает свой спортивный автомобиль фашистской символикой. Позже она будет принимать участие во многих официальных мероприятиях вместе с фюрером.

До 1938 года Англия пыталась втянуть Гитлера в переговоры. Но в 1939 году британское правительство объявило гитлеровской Германии войну. Юнити Митфорд хватает пистолет и стреляет себе в голову[1]. Это было в Мюнхене, в Английском саду. Она себя очень тяжело ранила, но выжила и осталась безумной до конца жизни.

Небезосновательная сплетня фрау Гофман о сопернице сделала свое дело. В 1935 году Ева Браун предпринимает новую попытку самоубийства. Тайную любовницу Гитлера, как свидетельствуют ее записи в дневнике от 10 мая 1935 года, все больше и больше охватывает паника: «Великий Боже, помоги мне, чтобы я сегодня поговорила с ним, завтра уже будет поздно. Я решилась на 35 таблеток, это уже точно смертельная доза. Если бы он хотя бы позвонил».

Он не позвонил, и Ева глотает приготовленные таблетки. Врачи снова спасли ей жизнь, но Гитлер был шокирован. Снова ему напомнили о самоубийстве Гели Раубаль, с ее смертью он так и не смог примириться. Еву нужно было успокоить! Диктатор обещает ей собственный дом, куда она в конце концов и переезжает вместе со своей сестрой.

---

[1] Комментарий Гитлера: «Как только что-то коснется меня лично — тут же истолковывается превратно. Я не приношу женщинам счастья. Так было в моей жизни всегда!» (*Прим. перевод.*)

Первая леди Третьего рейха

Все, за что ратовал в 1935 году Адольф Гитлер в книге «Mein Kampf», всеми силами внедрялось в жизнь. Прежде всего Геббельс на массовых митингах проявляет себя как фанатичный ненавистник евреев. Тоталитарной идеологии требовался портрет врага, и «образованный» доктор Геббельс, пользуясь изощренной риторикой, проводит в стране фронтальное наступление на сознание людей. Кампании против «врагов рейха» чередуются с «культурными» мероприятиями, где наци прославляют свою эрзац-религию истинных арийцев.

Геббельс использует современные в то время средства массовой информации: в первую очередь радио и кино. Все сообщения подавались в самой изысканной упаковке. «Естественно, у пропаганды есть намерения, но эти намерения нужно так умно и виртуозно скрывать, чтобы тот, кому эти намерения внушаются, их совершенно не заметил», — поучал Геббельс своих партийных друзей в тесном кругу.

Магда Геббельс, находясь бок о бок со своим мужем, старалась являть собой пример идеологически твердых убеждений. Официально она не занимала в партии никаких постов, так как коричневые были, в сущности, невысокого мнения об эмансипации. Дамы рассматривались только в качестве приложения, их задачей было поддерживать и украшать завоевания мужчин. Магда же была, по крайней мере в первой фазе существования Третьего рейха, безусловно первой дамой государства. Для нее существовала только одна, довольно приятная, обязанность — Магда Геббельс считалась почетным председателем немецкого модного ведомства.

«Я считаю своей обязанностью выглядеть так хорошо, как только могу. Я хочу в этом отношении влиять на немецких женщин. Они должны быть как можно красивее и элегантнее. Мне доверено высшее руководство немецким ведомством мод, и в этом качестве я хочу попробовать своим примером сделать из немецкой женщины истинный образец своей расы», — заявляла Магда Геббельс, принимая этот пост. По крайней мере, внешне она вполне соответствовала типу образцовой немецкой белокурой женщины-матери. Однако правилу «Немецкая женщина не пользуется косметикой, не курит и не пьет» она следовала не слишком строго. Она ценила моду и косметику, наслаждалась курением сигарет и рюмочкой-другой вина.

Требование же режима наци рожать фюреру как можно больше детей Магда с усердием исполняла, хоть это сильно вредило ее здоровью.

Супружеская пара Геббельс не уставала заботиться о соответствующем жилье для постоянно растущей семьи. Так, за огромную в то время сумму в 3,2 миллиона рейхсмарок была приобретена вилла на Бодензее, севернее Берлина. С деньгами у министра пропаганды не было никаких проблем, через кинопроизводство счет был оплачен. Хозяйка роскошной виллы, очень любившая развлечения, могла здесь соответствовать тому стилю жизни, который полагался первой даме рейха, супруге министра.

А душевного покоя не было, ей казалось, что ее первенство находится под угрозой и постоянно ускользает. Во-первых, у нее появилась конкурентка в лице жены министра Германа Геринга. Во-вторых, нечасто, но стала появляться на людях в качестве «секретарши» Гитлера Ева Браун.

В апреле 1935 года Герман Геринг женился на обаятельной дочери фабриканта актрисе Эмми Зоннеман. Церемония бракосочетания была исключительно помпезной, а став мужем и женой, эта парочка держала двор в стиле барокко. В берлинских салонах дамы, принадлежащие к верхушке коричневой клики, с недоверием взирали друг на друга. Женщины были соперницами и здесь. И здесь решался главный для них вопрос: «Кто самая красивая?» И еще один немаловажный: «А чей муж самый влиятельный и богатый?»

У Евы Браун, тайной любовницы Адольфа Гитлера, были плохие карты по сравнению с другими дамами. Она редко появлялась вблизи рейхсканцлера Германии, но если появлялась, дамы смотрели на нее с явной неприязнью. В 1935 году разразился скандал: Еву Браун как «секретаршу» посадили на трибуну для почетных гостей во время партийного съезда, проходившего в Нюрнберге. Это вызвало сильнейшее негодование у фрау Раубаль, матери погибшей Гели. Она вела хозяйство в гитлеровской резиденции в Оберзальцберге и догадывалась, какую роль играет эта молодая женщина из Мюнхена, навещающая Гитлера. Саму же фрау Раубаль, сводную сестру Адольфа Гитлера, можно было время от времени видеть в его свите во время появлений фюрера на публике. Мать Гели пожаловалась своему родственнику Гитлеру, что Ева сидела на трибуне, а ей это не нравится.

«Фрау Раубаль, и фрау Геббельс, и все эти жены министров уже знали Еву и были шокированы, что эта молодая женщина сидела среди почетных гостей, — вспоминает Герберт Деринг. — Фрау Раубаль выразила свое неудовольствие и раскритиковала его. Гитлеру это совсем не понравилось. Он не хотел, чтобы кто-то вмешивался в это дело, тем более в командном тоне. Гитлер тут же запретил своей сестре находиться в Оберзальцберге. На следующий день она уже паковала чемоданы. Это была ссора. Причиной послужила Ева».

Магде Геббельс Ева, естественно, тоже мешает, Магда боится, что та может оспорить ее лидерство на дамском фронте. Очень уж Ева привлекательна внешне. В тот памятный для нее день в Нюрнберге Ева Браун была тщательно накрашена и куталась в шикарные меха. Магда обозвала ее «глупенькой блондинкой» и организовала настоящую травлю. Ядовитые замечания Магды Геббельс Гитлер без внимания не оставил, но стал на сторону своей любовницы — Евы Браун.

Как и фрау Раубаль, Магде пришлось поплатиться за свою дерзость: несколько месяцев Гитлер ее просто не замечал, уважаемый фюрер отдалился от дома Геббельсов. Горькое время для образцовой женщины рейха. А тут еще и домашние проблемы. Дамский угодник Геббельс не угомонился и после женитьбы. «Используя служебное положение» и контролируя кинопроизводство, министр с удовольствием волочился за молодыми киноактрисами. Не зря за глаза его называли «козел из Бабельсберга». Магда держалась как абсолютная леди и делала вид, что ничего не замечает — часто, во всяком случае. «Она очень хорошо владела собой. Внешне никогда ничего не было заметно, если даже при этом на душе у нее было неважно», — вспоминает прислуга Геббельсов.

Поводов же для сцен и ссор было предостаточно, отношения этой пары, как и в начале их знакомства, состояли из взлетов и падений. Внешне спокойная, Магда реагировала на неприятности депрессиями и болезнями, но, несмотря ни на что, в 1935 году рожает так страстно ожидаемого Геббельсом мальчика. «Мальчик! Неописуемо! Я танцую от радости. Его имя будет Гельмут. Радость без конца!» — пишет счастливый отец в своем дневнике. И дальше: «Вот лежит этот малыш: у него лицо Геббельса. Я бесконечно счастлив. Мне хочется все разбить от радости. Мальчик! Мальчик!» Позже Геббельс не откажется от возможности продемонстрировать все свое многочисленное потомство в немецком недельном кинообозрении как пример семейной идиллии наци.

Благостный мир к этому времени уже давно существовал только в пропагандистских произведениях искусства нацистов. Пока соперницы-женщины воевали за благосклонность Гитлера, в сентябре 1935 года были приняты Нюрнбергские законы, провозглашавшие потерю равных гражданских прав евреями. «Закон о защите немецкого народа и немецкой чести» продекларировал запрет «расового смешения и внебрачных связей между евреями и немцами». Это послужило началом систематического преследования евреев. Ева Браун ничего этого не понимала и не замечала. Магда Геббельс же осталась и дальше преданной идеям нацизма и Гитлеру лично.

Ссылка Евы Браун на Бергхоф

Вторую попытку самоубийства Евы Браун Гитлер принял очень близко к сердцу. Теперь он старался по крайней мере давать о себе знать, не исчезать из ее жизни надолго. Улучшаются и жилищные условия любовницы: она переезжает вместе с сестрой в собственный дом. Об обстановке дома Гитлер заботится лично. С шикарными резиденциями нацистского фюрера этот скромный домик, конечно, сравнивать нельзя, но и здесь присутствовал в какой-то мере стиль люкс. Для Евы Браун, во всяком случае, это было лучшее из всего, что она знала прежде. Сейчас она могла чувствовать себя уверенней, так как любовник регулярно проявлял о ней заботу. Берлин оставался для нее закрытым, но она все чаще и чаще проводила время в резиденции Гитлера в Оберзальцберге. При этом только очень узкому кругу лиц было доверено знать о ее присутствии в жизни Гитлера. Женщины могли догадываться, кто такая эта «секретарша» на самом деле, при ее редких выходах в свет, но Гитлер эту связь не только не афишировал, но и предпочитал, насколько это возможно, скрывать.

«В Оберзальцберге существовали определенные правила, и их уважали. Ее надо было уважать как спутницу Гитлера. Все, вопрос исчерпан и обсуждению не подлежит. Точка», — вспоминает референт министра иностранных дел Риббентропа.

Тем не менее не все служащие в Оберзальцберге были в восторге от новой сожительницы. Камеристке Евы Браун, во всяком случае, казалось, что ее хозяйке не оказывают достаточного уважения: «Всех дам, которые появлялись у нас, величали «милостивая госпожа», а ее всегда называли только «фройлен Браун». Тогда я у нее спрашиваю, нельзя ли что-нибудь сделать. Ева спросила у Гитлера. Он согласился. И тогда я получила разрешение ввести это «милостивая госпожа». Вот такие цацки.

Сама же Ева Браун, несмотря на то, что условия ее жизни улучшились, не считала себя вполне уважаемой спутницей жизни Адольфа Гитлера. Шпеер, архитектор Гитлера, часто бывавший у него в гостях, сочувствовал молодой женщине, к которой Гитлер, очевидно, хотя и питал сердечную склонность, но сохранял по отношению к ней известную дистанцию. «Ее изгоняли, как только появлялись высокопоставленные лица рейха, например, рейхсминистры, приглашенные к столу. Даже если приходил Геринг с женой, Еве следовало оставаться у себя в комнате. Я иногда составлял ей в ее изгнании (комнате рядом со спальней Гитлера) компанию. Она была так запугана, что не решалась выйти из дома прогуляться».

«Я могу на выходе нечаянно встретить Герингов», — озабоченно говорила Ева Браун Шпееру. Жестов доверия и расположения Гитлер на людях практически не проявлял, будь то Ева Браун или его ближайшие сотрудники. И хотя он часто дарил любовнице подарки, Шпеер замечает в воспоминаниях, что украшения были недорогими. Далее Альберт Шпеер пишет: «И с Евой Браун никогда он не был совершенно раскован и человечен. Всегда соблюдалась дистанция между вождем нации и простой девушкой. Иногда он обращался к Еве неуместно интимно, называя ее «телухой». Но как раз это слово из лексикона баварских крестьян точно характеризовало его отношение к ней».

Нежностей, по крайней мере в присутствии других, не было, как результат, не было и у Евы душевного равновесия. Жизнь на Бергхофе протекала монотонно. Но она терпела все, вплоть до пространных, длинных монологов Гитлера, во время которых тот и сам иногда засыпал. От таких дней, по мнению Шпеера, не оставалось ничего, кроме пустоты. Ева старалась заполнить время вещами для нее приятными: мода, спорт, джазовая музыка. У нее была и кинокамера, она снимала узкопленочные фильмы. Если фюрер отсутствовал, она позволяла себе покурить.

Альберт Шпеер так характеризует любовницу Гитлера: «Ева Браун была аполитична, почти никогда не пыталась она повлиять на Гитлера... Она была спортивна, прекрасная, выносливая женщина, с которой мы предпринимали лыжные походы. Однажды Гитлер даже дал ей восемь дней отдыха, естественно, когда он сам был в отъезде. Она поехала с нами на несколько дней в Цюрих, где, никем не узнанная, с большой страстью до самого утра танцевала с молодыми офицерами. Она была далека от того, чтобы быть современной мадам Помпадур».

С фавориткой французского короля Людовика XV эту «телуху» действительно нечего и сравнивать. Помпадур была интеллигентна и очень честолюбива, ее расточительность стала легендой. А уж как она была влиятельна в политике! У Евы Браун никогда не было возможности оказать какое-то воздействие на любовника, если речь шла о политике.[1] Если бы эта женщина не находилась под непосредственным влиянием Гитлера, она была бы обыкновенной, не очень умной, но умеющей ценить приятные мелочи повседневности. Она любила новую, красивую одежду, итальянскую обувь, ухаживала за своим лицом и телом.

---

[1] Как тут не вспомнить о Марлен Дитрих, ненавидевшей Гитлера и фашизм. Как известно, с 1930 года она жила в Америке, работала в Голливуде. Нацисты просили ее вернуться в Германию, обещая, что она станет первой актрисой Рейха. Марлен ответила: «Нет». А много лет спустя Дитрих делилась сомнениями с другом: «А может быть, мне надо были тогда вернуться и стать любовницей Гитлера? Через постель можно сделать так много. Может быть, я могла бы предотвратить войну?» Умницей же была, а вот ведь какая наивность! (*Прим. перевод.*)

Очень часто она ощущала себя птицей в золотой клетке. Гитлер был приветлив с ней, так как боялся еще одной попытки самоубийства, но избегал всего, что могло бы сделать его связь с Евой Браун известной широкой публике. «Случилось так, что фрау Геринг, в отсутствие Гитлера в Оберзальцберге, однажды пригласила к себе на чашку кофе все высшее дамское общество. На всякий случай пригласила и Еву Браун как секретаршу, так как тогда еще точно не знала о ее истинной роли в жизни «вождя». Гитлер, узнав об этом, пришел в ярость и немедленно дал понять, что подобные попытки будет пресекать», — рассказывает Герберт Деринг.

Всегда на заднем плане, позади обоза и без какой-либо перспективы осуществить свою мечту — выйти замуж за Гитлера, Ева Браун, тем не менее, гордо записывает в своем дневнике: «Я возлюбленная самого великого человека в Германии и в мире». Эта фраза, скорее всего, и объясняет, почему ссылка в Бергхоф была для нее все же милее, чем побег из золотой клетки.

Образцовая женщина национал-социалистического режима

В национал-социалистической Германии существовала строгая иерархия и для большой части населения. В соответствии с этим создавались различные объединения. Это правило распространялось как на мужчин, так и на женщин. Но внутри партии женщины не имели никакого влияния. Это вытекало из представлений национал-социалистов о роли женщины в обществе. «Немецкая женщина — это домашняя хозяйка и мать, она полностью подчиняется мужчине», — считали нацисты. Социальная активность женщин тем не менее приветствовалась, так как способствовала авторитету партии.

Главнейшая задача немецкой женщины, согласно нацистской пропаганде, состояла в том, чтобы родить мужу как можно больше детей с тем, чтобы процветала и благоденствовала «арийская раса». «Задача женщины — быть красивой и рожать детей», — заявлял Йозеф Геббельс и образно пояснял, проводя параллель с птицами: «Самка украшает себя для самца и высиживает для него детенышей. Самец заботится о пище и стоит на вахте, защищая от врагов гнездо».

Наряду с экономическими стимулами для высокой рождаемости нацисты учредили для многодетных матерей орден — Материнский Крест (высшей наградой Третьего рейха был Железный Крест). Как и военные награды, Материнским Крестом награждалась мать, родившая четверых или пятерых детей, Серебряным Крестом — шестерых или семерых, а Золотым Крестом — восьмерых и больше.

Наряду с материнством «приличной немецкой женщине» полагалось вести здоровый образ жизни, не потреблять алкоголь и не курить. Не следовало одеваться слишком экстравагантно, и в любой момент женщина должна была быть готова отказаться от роскоши и удовольствия.

Впервые за всю историю Германии женщины получили избирательное право в 1918 году, во времена Веймарской республики началась их эмансипация. Однако с приходом к власти Гитлера, согласно национал-социалистической идеологии, женское население начали «строить» иначе. Так как обладать интеллектом считалось неженственным, то на том основании, что высшие учебные заведения были переполнены, женщины из них постепенно вытеснялись. Не лучше обстояли дела и с работой. Женщины, почувствовавшие вкус к профессиональной деятельности, трудившиеся в годы Первой мировой войны и во время Веймарской республики, вынуждены были в угоду национал-социалистической идеологии свое мировоззрение менять. В 1933 году вошел в силу закон, дававший работодателю возможность для «снижения уровня безработицы» женщин с работы увольнять. Закон отменили только в 1937 году, когда Германия, вооружаясь, нуждалась в рабочей силе.

Магда и Баарова

Между тем в доме Геббельсов супруги ссорились все чаще и чаще. Сцены ревности устраивала то она, то он. Супружеская жизнь превратилась в сущий ад. До поры до времени неколебимая образцовая мать нации вела себя по отношению к супружеским изменам Геббельса по принципу «ничего не вижу, ничего не слышу». Очень уж важным было для нее соблюдение внешней формы. Однажды она даже велела сервировать для дамы, проведшей ночь с ее супругом, завтрак, для того чтобы та поскорее ушла.

С появлением в жизни Йозефа Геббельса киноактрисы Лиды Бааровой все изменилось. В 1936 году Геббельс влюбился в эту красивую двадцатилетнюю чешку. Это было серьезно. Он осыпал молодую женщину розами и предложениями ролей. Актриса не устояла. Все чаще эти двое были вместе, появлялась Баарова и в имении Геббельсов на Бодензее.

Так продолжалось два года, и в конце концов гордый любовник стал выводить свою красивую подругу на публику: вместе бывали они на приемах, вместе посещали кинопремьеры.

При всем желании жены смотреть на все это сквозь пальцы было уже невозможно. Магда была вынуждена что-то предпринять. Поначалу она пробует прибегнуть к чисто женской стратегии и хочет «по-хорошему» договориться с соперницей. Баарова впоследствии вспоминала, как Магда Геббельс ей говорила: «Знаете, а он очень значительный человек и нуждается в нас обеих. Я — мать его детей, и меня интересует только то, что делается в доме, где мы живем. Все, что происходит за его пределами, мне безразлично. Вы мне должны пообещать только одно: не иметь от него детей!»

Происходил ли диалог именно в такой форме, уже никто никогда подтвердить не сможет. Однако вполне вероятно, что Магда Геббельс могла предложить Бааровой сосуществование в любовном треугольнике. И, скорее всего, Магда была не так уж великодушна, как может показаться на первый взгляд. Это больше похоже на отчаянную попытку спасти свое положение в качестве «Матери нации». Никаких детей от любовницы, иначе ее собственная роль станет под вопросом.

Своей бывшей свекрови Элло Квандт Магда излагает такую версию: «Связь с Бааровой, которую он, очевидно, действительно любит, удерживает его, возможно, от других интрижек, интрижек, разрушающих его авторитет и положение. Я буду стараться выдержать, буду стараться его понять. Может быть, я смогу удержать Йозефа моим великодушием. Когда-нибудь закончится и эта связь с Бааровой. Если я уйду от него сейчас, я навсегда потеряю мужа. А так я удержу его для будущего. На старости лет он будет принадлежать только мне».

Благое намерение. Но только любовный треугольник грозил стать для Магды настоящей катастрофой. Молодую, красивую Лиду Баарову треугольник не устраивал, она претендовала на место Магды Геббельс. И виртуозному тактику, каким, безусловно, являлась фрау Геббельс, пришло на ум воспользоваться самым эффективным оружием: ее хорошими отношениями с Адольфом Гитлером.

Магда стала действовать. Вначале ей надо было собрать неопровержимые доказательства неверности мужа. В случае развода (подобную ситуацию она уже отрепетировала в первом браке) надо будет предъявить факты. Тут она сумела воспользоваться услугами Карла Ханке, помощника Геббельса в министерстве пропаганды. Тот уже давно мечтал о первой даме страны и надеялся благодаря своей любезности привязать ее к себе.

Магда Геббельс, со своей стороны, дала ему понять, что она — невинная жертва и нуждается в сильном мужчине, который бы ее спас. Она как раз возвратилась домой после длительного пребывания в санатории, но тем не менее не чувствовала себя отдохнувшей — нервы были взвинчены. Даже в таком состоянии ей удалось склонить Ханке к шпионской деятельности против шефа. Он сумел добыть письма и документы Геббельса, хранившиеся в министерстве и подтверждающие его супружескую неверность.

Геббельс пробует смягчить свою разъяренную жену, он клянется жизнью детей, что больше так продолжаться не будет, но это были только пустые звуки, произносимые профессиональным лгуном. Баарову он не оставил. Ханке, учуявший в этом шанс для себя, уведомляет Магду о новых изменах ее супруга. Та немедленно покидает семейный очаг и вместе с детьми находит убежище на вилле у того же Ханке.

«Магда так тверда и зла», — хнычет Геббельс, узнав, что жена объявила ему войну. Теперь ему придется объясняться с фюрером. Гитлер, занятый «решением еврейского вопроса» и вооружением вермахта, должен был выступить в этой супружеской войне в качестве третейского судьи.

«Гитлер был у них на свадьбе свидетелем. Он все это затеял и при этом добился, что при его тесных отношениях с министром пропаганды у него сохранялись хорошие отношения и с ней», — пишет личный референт Геббельса, поясняя особенный интерес Гитлера к Магде. — Он питал к ней очень, очень большую симпатию. Именно потому, что Геббельс тогда продолжал вести на стороне любовные интрижки, она получила возможность вступить в еще более тесный контакт и быть еще более откровенной с Гитлером, который так ее уважал».

Фюрер боялся публичного скандала, за которым мог последовать развод его министра пропаганды с «Матерью нации». Он призвал сварливых супругов к порядку и приказал им жить раздельно в течение одного года, до августа 1939-го. На киноактрису Лиду Баарову Гитлер натравил гестапо. За ее домом был установлен надзор. В конце концов она перестала получать роли и покинула Германию.

Пока разворачивался фарс в семье Геббельсов, Третий рейх ужесточил преследование евреев. Врачи и юристы утратили допуск к работе, изделия еврейских ремесленников должны были иметь специальную пометку. Те евреи, у которых были не еврейские имена, в будущем должны были зваться Сарой или Израилем. 17 000 польских евреев, проживавших в Германии, были принудительно высланы из страны.

Гершель Гриншпан, сын одного из таких высланных, совершает в 1938 году в Париже покушение на немецкого миссионера — это послужило поводом для организации еврейских погромов по всей Германии и вылилось в так называемую «хрустальную ночь» 9 ноября 1938 года. Горели синагоги, осквернялись еврейские кладбища, около 2600 евреев-мужчин было арестовано.

«Истинные арийцы» вытеснили евреев из экономической и производственной сферы и отлучили их от высшей школы. Целью репрессий было изгнать евреев из Германии в эмиграцию.

Не избежал горькой участи и отчим Магды Геббельс. Рассчитывая на то, что его пощадят как солдата Первой мировой войны, он страну не покинул. В 1938 году его наряду с тысячами других евреев арестовали. Оказавшись в Бухенвальде, он выполнял рабскую работу в каменоломне. В начале 1939 года отчим Магды Геббельс умер от непосильного труда в Бухенвальде. Магда Геббельс, единственный человек, который мог бы его спасти, давно вычеркнула отчима из памяти.

Безгранично преданная бесчеловечной расовой политике власть имущих коричневых, Магда Геббельс теперь заявляла: «Мне лично неприятно и непереносимо быть заподозренной в том, что я могу одеваться в еврейском доме моделей».

Магда и Йозеф Геббельс в конце концов помирились, и в 1940 году родился шестой ребенок. Через год после этого министр пропаганды вступил в связь со своей секретаршей.

Нас разлучит только смерть

Первого сентября 1939 года армия Гитлера напала на Польшу, развязав тем самым Вторую мировую войну, унесшую миллионы жизней на полях брани и в разрушенных городах. Жертвами решения «еврейского вопроса» стали более 6 миллионов европейских евреев. Магде Геббельс было известно, что вытворяют фашисты, ее муж ничего от нее не скрывал. Своей бывшей свекрови Элло Квандт она доверительно пишет: «Это страшно, все, что он мне сейчас говорит». Разговор об ужасах концентрационных лагерей: «Ты даже представить себе не можешь, о каких страшных вещах он говорит, а я не могу никому признаться, что у меня на сердце». Магда Геббельс заболевает, диагноз — рожистое воспаление лица.

Заговорило ли в ней что-то похожее на совесть, на человеческое сострадание? То, о чем речь пойдет дальше, свидетельствует скорее о том, что она чувствовала: расплата за ужасы войны уже не за горами.

Ее муж, «уполномоченный тотальной войны», толкает народы Европы в пропасть. Когда фанатичный подстрекатель войны Йозеф Геббельс награждается бурей аплодисментов за свои пресловутые речи, жена находится среди зрителей, в берлинском Дворце спорта. Насколько близка она продолжала быть делу Гитлера и Геббельса, можно судить по записи ее мужа в дневнике: «Я очень рад, что она, прежде всего, в вопросе тотальной войны занимает твердую и радикальную позицию. Если бы все наци-женщины мыслили как она, дела с нашей тотальной войной обстояли бы значительно лучше».

С начала 1945 года Красная Армия неудержимо продвигалась к Берлину, и супруги Геббельс вынуждены были уразуметь, что предстоящий конец господства Гитлера повлечет за собой расплату для всех соучастников преступлений.

В длинных, наполненных слезами беседах Магда и Йозеф Геббельс приходят к решению следовать за своим идолом Гитлером, окопавшимся в бункере под рейхсканцелярией. Фюрер с упорством безумца продолжал фантазировать о переломе в войне в пользу своей армии. Министр пропаганды Адольфа Гитлера вместе со своей женой были реалистичнее. Они уже давно решили не ждать расплаты, а покончить с жизнью. И своих собственных детей не хотели они пощадить.

«Наша величественная идея гибнет. Мир, который будет существовать после фюрера и национал-социализма, не стоит того, чтобы в нем жить. Поэтому я беру с собой своих детей», — пишет Магда Геббельс из бункера в конце апреля 1945 года сыну от первого брака Гарольду Квандту.

И Ева Браун решает ожидать конца рейха рядом с любовником. Преступления Гитлера не заставили ее от него отвернуться, напротив, годы войны сблизили их теснее. Других женщин рядом с фюрером теперь уже не было. Состояние его здоровья заметно ухудшилось, бросалось в глаза, что он дрожит. Ева Браун старалась в меру своих сил заботиться о любовнике. О подробностях творимых им ужасов она и знать не хотела.

Генриетта фон Ширах виделась с Евой Браун в последний раз в 1943 году: «Это уже давно была не та Ева, с которой мы так часто ходили плавать. Она велела принести себе коньяк, ее собака подбежала к слуге, одетому в униформу и высокие сапоги. Ева привычным жестом опрокидывает в себя коньяк, это лишает страха, говорит она, тогда не очень уж задумываешься обо всем. И когда кончают жизнь самоубийством, тоже надо перед этим что-то выпить, все покажется тогда окутанным веселым туманом...»

Бывшие соперницы Магда Геббельс и Ева Браун встретились в последний раз в бункере Гитлера для того, чтобы присутствовать при кончине рейха. В то время, как Магда заметно сломлена, Ева ведет себя почти по-детски. Альберт Шпеер описывает атмосферу бункера в своих воспоминаниях: «Где-то около полуночи Ева Браун через слугу-эсэсовца попросила меня зайти к ней в ее маленькое помещение в бункере, которое одновременно служило ей и жилой комнатой, и спальней... Мы могли спокойно побеседовать, так как Гитлер уединился. В сущности, она была единственной из обреченных здесь на смерть, кто проявлял достойное удивления спокойствие. Что касается всех остальных, то Геббельс вел себя экзальтированно-героически, Борман думал о спасении, Гитлер выглядел потухшим, а Магда Геббельс сломленной. На этом фоне Ева Браун являла собой хладнокровие и даже некоторую веселость: «А как насчет бутылки шампанского на прощание? И немного конфет»

О своем решении до конца оставаться в бункере и покончить с жизнью Ева Браун сказала Мартину Борману. Точно так же, как и Ева Браун, Магда Геббельс уже собирается уйти за своим любимым фюрером в небытие. Продолжающий прилежно вести дневник Геббельс записывает: «Я объяснил фюреру, что моя жена твердо решила остаться в Берлине и даже отказывается отдать наших детей из бункера. Фюрер, хотя и не считает такое решение правильным, находит его достойным восхищения».

Для совместного самоубийства все было подготовлено. Гитлер тоже был готов и даже позаботился о деталях. В последний раз, прощаясь с Магдой, он передал ей свой золотой партийный знак. Этот жест растрогал ее до слез. А вот для собственных детей сострадания не хватило. Были попытки отговорить мать от ее варварского плана, но она осталась тверда. Она объясняла свои побуждения свекрови: «Мы возьмем их с собой. Они слишком красивы и хороши для той жизни, что наступит. В той жизни Йозефа будут рассматривать как одного из величайших преступников, которых когда-либо порождала Германия. Его детей станут мучить, презирать или унижать. Они вынуждены будут расплачиваться за все то, что сделал он. Им будут мстить».

До самой смерти Магда Геббельс остается фанатично преданной Гитлеру, точно так же, как ее соперница Ева Браун. 30 апреля 1945 года около 15.30 Гитлер застрелился в своей комнате в бункере, в то время как неудержимо приближался ураганный огонь Красной Армии, бывшей уже на Потсдамской площади. Ева Гитлер, урожденная Браун, сидя рядом с ним, приняла яд. «Я умираю так, как и жила. Это дается мне легко», — успела она записать незадолго до смерти.

Днем позже Магда Геббельс убивает своих детей. Затем идет со своим мужем в сад рейхсканцелярии и там раскусывает капсулу с ядом. Йозеф Геббельс стреляет себе в висок.

Во Второй мировой войне, развязанной Адольфом Гитлером, погибли миллионы людей. Столько зла, сколько принес с собой Гитлер, не переживало до этого ни одно столетие. А женщины, что были с ним рядом? Несчастливые, склонные к депрессиям и саморазрушению, с фанатизмом и упорством (добровольно) следуют они за диктатором. Ни одна из них не была в состоянии освободиться от его влияния. Им ничего не оставалось, как покончить жизнь самоубийством.

Генриетта фон Ширах писала: «Я думаю, что есть люди, притягивающие смерть. Безусловно, Гитлер был одним из них». Все это так, не подходит лишь слово «люди», когда речь идет о Гитлере.

ПОСЛЕСЛОВИЕ

Почему же люди соперничают между собой, почему вступают в конкурентную борьбу?

Да потому, что они предпринимают попытку занять в социальной иерархии место получше. Зависть и ревность весьма способствуют соперничеству, заставляя человека почувствовать неудовлетворенность существующей ситуацией и побуждая его к действию. «Конкуренция оживляет дело» — гласит немецкая поговорка.

При условии, однако, что конкуренция будет открытой и честной. В самом по себе соперничестве нет ничего предосудительного. Желание быть лучше других дает человеку возможность максимально реализовать свои способности и в результате добиться успеха.

Самые большие достижения в науке, искусстве, спорте опираются на это самое соперничество, не несущее в себе ничего плохого. В конце концов, соперничество свойственно человеческой натуре. Тот, кто получит воду, может основать семью, род, очаг. Обеспечить себе жизнь, коротко говоря. Ну а в случае необходимости мужчинам не возбраняется потрясать кулаками и оружием — что поделаешь, мужское соперничество до сих пор признано в обществе.

Двумя ярко выраженными конкурентами были Аристотель Онассис и Ставрос Ниархос. Конкуренция между ними длилась десятилетиями. «Мой остров, мой флот, мои знаменитые любовницы», — вот чем оперировали судовладельцы-миллиардеры. Что ж, при этом возникли две самые крупные в мире империи флота. Но, надо сказать, конкуренты друг друга не щадили.

Если бы так повели себя женщины, то в обществе наморщили бы носы. Дамы себя так не ведут, а если между ними случается борьба, то говорят о «дамских проказах». В чем это проявляется, видно на примере наших протагонисток.

Какие же цели преследовали Джеки, Мария, Диана, Камилла, Сорейя, Фара, Ева и Магда? Общим для всех был поиск любви и счастья, успеха и уверенности. Все это они надеялись обрести рядом с мужчиной, стоящим на самом верху социальной лестницы.

Мужчину, обладающего властью, авторитетом, богатством, жаждет получить великое множество женщин, конкуренция среди этого множества, следовательно, запрограммирована. А вместе с конкуренцией и страдание, если другая стремится завладеть сердцем любимого. В душе женщины вместе со страхом потерять свое особенное положение поднимаются ярость и отчаяние. Чувства, которые, кстати сказать, не принято проявлять внешне.

Если между мужчинами происходит ссора, разрешается выносить ее на публику. Мужчинам, но не женщинам. Мораль и традиции предписывают женщине изображать терпимость и миролюбие. Поэтому женщины не могут соперничать в открытую. Отсюда и другое оружие, и другая тактика. Впрочем, незаметные действия на заднем плане могут быть тоже весьма эффективными.

Соперничество часто выражается вопросом: «Чем она лучше меня?» Если соперничающие женщины оказываются в одном помещении, они моментально оглядывают друг друга с ног до головы. Оглядывают и оценивают. Какое счастье, если соперница менее привлекательна, чем я. Теперь я буду чувствовать себя уверенней, моему положению не угрожает опасность. Все внешнее играет огромную роль, когда женщины начинают меряться силами. Красивые черты лица, впечатляющие драгоценности, богатая одежда могут быть важными символами, подчеркивающими статус соперницы. Джеки, хотевшая затмить персидскую шахиню, увешанную драгоценностями, своей брошью в форме солнечного диска, — хороший тому пример.

Женщины украшают себя драгоценностями не только для того, чтобы нравиться себе и другим, но и для того, чтобы продемонстрировать свое общественное положение и поставить на место возможную соперницу. Платья играют ту же роль, что и драгоценности.

Опаснее становится, если в женщинах клокочет ярость и ревность и соперницы прибегают к более серьезному оружию. Описанные в книге протагонистки позволили нам осмотреть этот женский оружейный арсенал. От элегантной рапиры до смертоносной крылатой ракеты, образно говоря. Интересно, что очень часто мужчина, которого женщина, собственно, и стремится заполучить или удержать, сам становится мишенью для удара. Друг с другом напрямую женщины конфронтуют редко.

Легчайшим женским оружием является словесная атака. Над конкуренткой публично издеваются, ее унижают, и все для того, чтобы снизить к ней интерес мужчины. Кто захочет иметь любовную связь с «ротвейлером» (Диана о Камилле)? А если кто-то все же хочет, то пусть станет посмешищем в глазах окружающих. Правда, как и любое оружие, это может не сработать и обернуться против самой сплетницы, если та будет его неверно использовать. Так случилось с Магдой Геббельс, когда та начала публичную травлю Евы Браун. Гитлер вычеркнул интриганку на какое-то время из своего окружения.

Бушевать, кричать, плакать — театрализованные эффекты могут сработать, но при условии, если они направлены на подходящий объект, способный эти эффекты воспринимать. Онассис после атак на него Марии Каллас злился еще больше, а принц Чарльз со всевозрастающей холодностью реагировал на слезы Дианы. При этом сдержанная Камилла была тут как тут и спокойно ждала, когда пробьет ее час. У Джеки Кеннеди была совсем другая стратегия, она «отстранялась», переставая общаться, чем доводила до белого каления и первого, и второго мужа, но эротического огня таким поведением уж точно не разжигала.

На следующей ступени розовой войны женщины уже действуют по принципу «око за око». Он невнимателен к ней — она будет швырять деньгами! У него есть любовница — она возьмет себе любовника! Он по-прежнему не ревнует — она угрожает самоубийством! Опасная игра, по ошибке можно и на том свете оказаться. Некоторые женщины для того, чтобы усилить давление на мужчину, делают вид, что больны. Однако, если мужчина не воспринимает этот женский маневр, все старания женщины тратятся впустую, а душевный кризис и впрямь приводит к болезненным состояниям. У бедной женщины может возникнуть и депрессия, и булимия, и что угодно — ведь ее тоска остается с ней, а мужчина по-прежнему на нее не реагирует.

Что же, если на черствого эгоиста ничем не удалось повлиять, самое время выйти на публику и объявить себя его жертвой. Мастерски умели это делать Мария Каллас и принцесса Диана. Весь мир должен был узнать, как несправедливо с ними поступают. Каллас рассказывала, что Онассис принуждал ее к аборту. Аристотель Онассис выглядел после этого абсолютным подлецом, а все сочувствие было на стороне дивы. Принцесса Диана верила, что поступит правильно, если расскажет как можно большему числу людей о неверности мужа и его неспособности править страной. Она почему-то не принимала в расчет, что Чарльз, выставленный ею в таком свете, теперь совсем не захочет ее знать.

Самая щекотливая форма женской стратегии — привлекать детей в качестве инструмента воздействия на мужчину. Не всегда дети — плод чистой любви. Рождение наследника трона укрепляет династию, но не всегда способствует укреплению супружеских уз. И кому будет симпатична женщина, подвергающая опасности жизнь еще не родившегося ребенка, когда она в интересном положении падает с лестницы, чтобы напугать мужа?

Очень редки случаи, когда женщина убивает неверного мужчину или свою соперницу. В основном наивысшей точкой «розовой войны» становится саморазрушение самой женщины. Злоупотребление алкоголем, медикаментами, нанесение увечий самой себе, попытка самоубийства, самоубийство — и все это от разочарования в любви и, возможно, от того, что иллюзии об идеальном партнерстве не суждено было сбыться.

Закончим тем, с чего начали: «Женщина проиграла, если она испытывает страх перед соперницей». Остается только добавить: «Женщина проиграла, если в борьбе с соперницей она не сумела выбрать правильное оружие».

Содержание

Литературно-художественное издание

Ульрика Грюневальд

СОПЕРНИЦЫ
Знаменитые «любовные треугольники»

В авторской редакции
Ответственный редактор *Л. Незвинская*
Художественный редактор *Е. Гузнякова*
Технический редактор *В. Кулагина*
Компьютерная верстка *Л. Кузьминова*
Корректор *Т. Павлова*

Фотографии на переплете
Mondadori / Getty Images / Fotobank.ru
James Gray / Daily Mail / REX / Fotodom.ru

ООО «Издательство «Нузя»
100409, Москва, Самаркандский б-р, д. 120, корп. 2
Тел.: (495) 745-58-23, факс 411-68-86-2253

ООО «Издательство «Эксмо»
127299, Москва, ул. Клары Цеткин, д. 18/5. Тел. 411-68-86, 956-39-21.
Home page: www.eksmo.ru   E-mail: info@eksmo.ru

Өндіруші: Издательство «ЭКСМО»ЖШҚ, 127299, Мәскеу, Ресей, Клара Цеткин көш., үй 18/5.
Тел. 8 (495) 411-68-86, 8 (495) 956-39-21
Home page: www.eksmo.ru   E-mail: info@eksmo.ru.
Тауар белгісі: «Эксмо»
Қазақстан Республикасында дистрибьютор және өнім бойынша арыз-талаптарды
қабылдаушының
өкілі «РДЦ-Алматы» ЖШС, Алматы қ., Домбровский көш., 3«а», литер Б, офис 1.
Тел.: 8(727) 2 51 59 89,90,91,92, факс: 8 (727) 251 58 12 вн. 107; E-mail: RDC-Almaty@eksmo.kz
Өнімнің жарамдылық мерзімі шектелмеген.
Сертификация туралы ақпарат сайтта: www.eksmo.ru/certification

Сведения о подтверждении соответствия издания согласно законодательству РФ
о техническом регулировании можно получить по адресу: http://eksmo.ru/certification/

Өндірген мемлекет: Ресей
Сертификация қарастырылған

Подписано в печать 29.08.2013. Формат 84х108 $^1/_{32}$.
Гарнитура «Kudrashov». Печать офсетная. Усл. печ. л. 11,76.
Тираж 2000 экз. Заказ 6518

Отпечатано с готовых файлов заказчика
в ОАО «Первая Образцовая типография»,
филиал **«УЛЬЯНОВСКИЙ ДОМ ПЕЧАТИ»**
432980, г. Ульяновск, ул. Гончарова, 14

ISBN 978-5-699-67450-3

9 785699 674503